AMOUR, SEXE ET CLARTÉ

JULIA A. BONDI
avec
NATHANIEL ALTMAN

AMOUR, SEXE ET CLARTÉ

TRADUIT DE L'AMÉRICAIN
PAR FRÉDÉRIC LASAYGUES

**J'AI LU
NEW
AGE**

*Aux trois hommes qui comptent le plus
dans ma vie : David, Jim et mon père*

Cet ouvrage a paru sous le titre original :

LOVELIGHT

© Julia A. Bondi, 1989
Pour la traduction française :
© Éditions J'ai lu, 1990

INTRODUCTION

Mon but en écrivant cet ouvrage est avant tout de vous aider à trouver au travers de vos relations amoureuses une plus grande satisfaction personnelle et un véritable épanouissement spirituel. J'espère parvenir également à combler le vide laissé par la plupart des ouvrages de spiritualité concernant les mystères de la sexualité et vous faire partager cette certitude profonde qui est la mienne : chacun d'entre nous a la capacité au bonheur dans sa vie affective. Nous sommes tous nés avec ce droit à l'amour. Il nous est possible de nous réaliser pleinement dans ce domaine, d'approfondir et d'enrichir à leur plus haut degré de spiritualité nos rapports amoureux.

L'amour et la sexualité nous concernent tous mais ne sont que trop rarement reconnus en tant que matières spirituelles à part entière. L'énergie sexuelle est la manifestation physique de la créativité, pourtant la plupart des doctrines spirituelles modernes omettent de traiter du corps humain – comment le comprendre, l'aimer et accepter sa sexualité. Une relation amoureuse passionnée peut cependant favoriser notre vie professionnelle, nous aider à développer créativité et spiritualité. En un mot, faire de nous des êtres complets. Et dans ce monde qui est le nôtre aujourd'hui, nous avons plus que jamais besoin de pareille conviction. En effet, si nous apprenions à surmonter nos propres frustrations émotionnelles, sans doute les problèmes politiques, sociaux et économiques nous apparaîtraient-ils sous un jour tout différent. Chacun sait que lorsqu'on est amoureux on se tourne naturellement vers les autres afin de leur communiquer notre joie de vivre. Une relation amoureuse épanouie n'est donc pas seulement cruciale pour tout individu, elle représente également l'espoir d'un monde meilleur.

D'une manière générale, les principes psychologiques et spirituels exposés dans ce livre ne sont pas nouveaux. Je me suis contentée d'en effectuer la synthèse et, à travers mon interprétation personnelle, de les présenter sous la forme d'un système cohérent, utilisable par chacun au quotidien.

Il en va ainsi de tout travail spirituel : pour savoir sur quel point particulier nous devons concentrer notre attention et nos efforts, il suffit de constater autour de nous les résultats de nos actions. Les situations qui nous troublent et nous affectent le plus nous indiquent en effet quel genre de questions nous poser et, par voie de conséquence, la nature du travail à effectuer sur nous-mêmes. Notre époque, menacée par le spectre des maladies vénériennes, par les échecs sentimentaux et les aventures éphémères, semble nous interroger directement : « Que se passe-t-il ? » Pourquoi ne savons-nous pas nous aimer, accomplir des choses ensemble, au lieu de nous déchirer ? En répondant à ces questions, je ne veux pas seulement attirer l'attention sur le danger qui nous menace, mais vous apprendre à rééquilibrer votre vie sentimentale à tous les niveaux – comportements, croyances, habitudes, expériences. Nous devons nous sentir pleinement responsables de nous-mêmes et apprendre à utiliser au mieux notre énergie créative, amoureuse et sexuelle.

J'espère que cet ouvrage vous permettra d'atteindre à cela. La première étape sur le chemin de la découverte de soi est l'information et la prise de conscience. Un vrai changement ne peut s'effectuer sans une certaine lucidité, psychologique autant que spirituelle. D'autre part, on observe que les remises en question de soi-même les plus profondes et les plus durables s'opèrent bien souvent en réaction contre un comportement devenu invivable. Tellement invivable que l'on est prêt à affronter les désagréments passagers qu'entraîne irrémédiablement un véritable travail sur soi. Sans efforts et sans discipline, il est impossible d'évoluer. Je suis cependant persuadée que nous aspirons tous à une relation amoureuse positive et fructueuse, faite pour durer, et que nous portons en nous tous les éléments pour y parvenir.

« Amour, sexe et clarté », bien qu'étant le produit d'une recherche personnelle, ne saurait se résumer à une simple énumération d'hypothèses gratuites. Ce travail se fonde en effet sur une synthèse des différents courants de pensée que j'ai étudiés de manière approfondie : la psychologie de Jung et d'Adler, les sciences métaphysiques traditionnelles, le féminisme, les doctrines du New Age et les multiples techniques qu'elles nous proposent pour un élargissement de la conscience. On m'a souvent demandé si je croyais en la capacité de transformation de l'individu. Après avoir observé ma propre évolution, après, surtout, une expérience de dix ans en tant qu'analyste et la conduite de nombreuses séances de thérapie de groupe, je suis aujourd'hui en mesure de répondre par un « oui » catégorique. Les changements qui ont eu lieu au tréfonds de mon être sont devenus partie intégrante de moi-même. J'ai constaté le même phénomène sur quantité d'autres personnes.

C'est l'école de la vie, avec ses épreuves et ses coups durs, qui m'a appris à avoir confiance en moi, à croire en une évolution positive du monde en général et des relations entre individus en particulier. J'ai grandi dans le milieu des militaires de carrière. Ma famille étant sujette à de fréquents déménagements, j'ai dû apprendre à m'adapter et à faire preuve d'ouverture envers les autres. Je me suis aussi habituée à ne pas avoir de racines, à ne pas même en désirer. J'ai rapidement appris à ne pas m'impliquer sérieusement, rentrant dans ma coquille dès que je me sentais vulnérable car je savais que tôt ou tard je partirais. J'amorçais des amitiés mais ne les développais

jamais, dépréciant et étouffant mes propres sentiments. J'entrai ensuite dans une école religieuse où
l'on m'enseigna bien des vérités pragmatiques ainsi
qu'une certaine ouverture sur le monde. Mais, que ce
soit au sein de ma famille ou dans le cadre rigide de
cette école, jamais on ne m'a montré la voie de la
confiance en soi, de la liberté d'aimer et d'être aimé.

J'ai atteint l'âge adulte sans savoir ce qu'était vraiment le bonheur. Je manquais d'assurance et mes relations amoureuses étaient toutes plus décevantes et
cruelles les unes que les autres. Le monde me sem-
blait alors une vallée de larmes. Le désespoir, le
cynisme et la dépression étaient mes plus fidèles com-
pagnons.

Puis, à peu près à cette époque, je tombai par hasard
sur un livre d'Andrew Weil intitulé «*The Natural
Mind* : une nouvelle façon de considérer les drogues et
la Conscience supérieure». Ce livre me démontra clairement que je raisonnais trop, que j'avais besoin
d'incorporer à ma vie mon intuition et mes sensations,
que j'avais jusque-là refoulées. À la suite de cette lecture je fis un rêve si intense et terrifiant qu'il devait
radicalement changer le cours de ma vie. Je me mis à
étudier la psychologie clinique pour chercher des
réponses à mes questions, espérant un changement et
l'apparition de nouvelles perspectives. En même temps
que ce désir d'établir un lien avec ma propre sensibilité, naquit cette volonté d'exploration qui ne me quitta
plus. Rétrospectivement, il est clair qu'à l'époque je
n'avais pas conscience du profond bouleversement qui
s'opérait en moi.

J'enseignais alors dans un lycée et mes élèves me
firent cadeau d'un livre sur l'astrologie. Le sujet ne
m'intéressait guère, pas plus d'ailleurs que la métaphysique en général, laquelle m'apparaissait frivole et
vaine. Par curiosité sans doute, je lus malgré tout ce
traité d'astrologie et quelque chose se produisit en
moi. À ma grande surprise, j'eus l'envie irrésistible
d'approfondir ces concepts nouveaux, de les étudier
par le biais d'autres ouvrages traitant de sujets tels

que Réincarnation et Conscience. C'est au cours de cette année décisive que la métaphysique entra dans ma vie dont elle devint le phare et la principale source d'inspiration. Je me rendis compte en effet que la métaphysique était, après la psychologie clinique, la prochaine étape dans la connaissance de soi. Si la psychologie m'avait beaucoup apporté, elle ne répondait pas à toutes mes questions. L'étude de la métaphysique me donna la conviction que notre esprit est l'ami et le guide le plus digne de confiance dont nous disposons.

En 1973, j'entrai donc au Centre de Philosophie Ésotérique de Houston où j'acquis un doctorat de philosophie ésotérique. Mais le vrai travail ne faisait que commencer. Il ne s'agissait pas de pures spéculations ni d'un survol rassurant des problèmes fondamentaux, mais d'une véritable confrontation avec moi-même, sans possibilité de fuir ou de détourner ma sensibilité profonde. En effet, à la même époque, je suivais également une thérapie, tout en étudiant la psychologie adlérienne, avec l'intention de devenir analyste. Ce travail, mené de front avec l'étude des travaux d'Alice Bailey sur l'astrologie, les tarots et la méditation, me persuada que les voies de l'esprit et de la psychologie se rejoignaient pour former un tout, une entité ordonnée offrant à l'individu la possibilité de se réaliser pleinement. Cette révélation, je voulais à tout prix la faire partager aux autres.

Je travaillai ensuite dans le monde des affaires en tant que directrice du personnel, mettant à l'épreuve de la réalité pure et dure mes principes spirituels et poursuivant ainsi mon initiation. Enfin, en 1979, ma voix intérieure m'avisa qu'il était grand temps de mettre mes idées en pratique, de les divulguer par un enseignement approprié, de guider et de conseiller ceux qui solliciteraient mon aide.

Depuis lors, c'est avec un bonheur constant que je m'efforce de montrer à mes étudiants et clients le chemin de la connaissance de soi et de l'élévation spirituelle.

J'ai compris très tôt dans ma carrière que les questions les plus préoccupantes pour tout un chacun concernaient l'amour-propre et les relations avec les autres. Il y a certes les problèmes d'argent, de carrière, de famille, les doutes d'ordre spirituel, mais les traumatismes les plus graves, les douleurs les plus profondes proviennent toujours, soit de l'incapacité de s'aimer et de s'accepter soi-même, soit d'une relation amoureuse frustrée. Nous ne nous aimons pas suffisamment. Nous nous connaissons mal. Il faut s'aimer soi-même avant d'être en mesure d'aimer son prochain. L'exploration personnelle est le premier degré à franchir dans la quête de son identité. S'aimer soi-même, découvrir sa propre individualité, nous permettra ensuite de nous rapprocher de l'être aimé, d'unir de façon durable et authentique notre destinée à la sienne.

L'énergie sexuelle, son importance dans notre vie et les façons de l'utiliser de manière constructive; autant de thèmes malheureusement presque toujours délaissés, voire condamnés par la morale. L'objectif de ce livre est d'insister sur ce qui me semble faire le plus cruellement défaut à l'homme : s'aimer soi-même afin d'être en communion avec les autres, et tout particulièrement avec l'être aimé.

Nous vivons dans un monde en mutation, un monde passionnant qui nous encourage tous à évoluer pour le meilleur, à devenir de vibrantes étoiles dans l'univers et ajouter notre clarté à celle de l'humanité en marche. Nous devons fermement croire à la venue d'un monde meilleur, que nous l'appelions le New Age, l'ère du Verseau, la Nouvelle Renaissance ou l'Âge de la Paix. Le désir de créer le règne de l'amour, de la paix et de l'harmonie est en chacun de nous. Mon souhait le plus cher serait que ce livre contribue à l'édification de cette terre de demain, qu'il invite chacun de vous à y participer dans la Lumière de l'Amour...

Julia A. BONDI
Westport, Connecticut,
septembre 1988

PREMIÈRE PARTIE

LA PHILOSOPHIE DE L'UNION

1

L'amour et le sexe : la véritable finalité

L'union sexuelle, lorsqu'elle couronne une relation amoureuse profonde et authentique, représente l'un des paliers essentiels dans l'élévation spirituelle. Bien que l'étude religieuse, les retraites, le yoga et la méditation soient autant d'éléments importants pour nourrir l'esprit, on oublie souvent que l'acte sexuel, s'il est accompli avec conscience et lucidité, peut être un véhicule formidable vers la sagesse et l'Illumination.

Pour la plupart d'entre nous, au-delà du confort matériel, de la santé, d'une cellule familiale stable et d'un cercle de bons amis, le bonheur ne saurait se concevoir sans une véritable histoire d'amour.

Et l'un des défis de notre époque semble justement être de vivre harmonieusement sa propre sexualité et ses rapports amoureux. Après la révolution sexuelle des années soixante et le féminisme militant des années soixante-dix, les notions de conscience individuelle, de liberté et d'égalité se sont considérablement modifiées. Cette totale liberté sexuelle est pourtant aujourd'hui sérieusement remise en question avec la recrudescence des maladies vénériennes, le taux de divorce en progression galopante et le malaise grandissant dans les rapports entre hommes et femmes. Ne devrions-nous pas trouver un nouveau terrain d'entente, instaurer de nouvelles règles pour ce jeu crucial de l'amour et de la réalisation personnelle ?

Nous avons besoin de notre indépendance mais également de la satisfaction que nous procure une relation amoureuse responsable. Nous devons en même temps entretenir avec les autres des rapports plus profonds, plus honnêtes, équilibrer force et vulnérabilité. Autant de défis qui appellent une nouvelle interprétation de l'amour et de la sexualité susceptible de nous aider dans notre double quête : celle du bonheur à deux, et celle de la réussite personnelle.

Nous sommes des êtres sociaux. Le désir de communiquer avec les autres fait partie de notre héritage humain. Qu'elles se situent au sein même de notre famille, au travail, à l'école ou dans tout autre contexte social, ces relations avec le monde sont essentielles. Elles répondent à notre besoin d'être reconnu, soutenu, estimé. Elles sont le ciment d'une société en même temps que les fondements de notre bien-être individuel.

Il est donc très important de comprendre la dynamique selon laquelle fonctionnent ces rapports. Rapports avec nos parents, nos amis, nos collègues de travail. Toutefois, dans ce livre, je m'en tiendrai presque exclusivement à élucider la relation homme-femme, un sujet déjà bien assez vaste...

Que cherchons-nous dans une relation amoureuse ? Sans doute à dépasser le sentiment de solitude et d'isolement que nous pouvons ressentir, mais aussi à élargir et approfondir la conscience que nous avons de nous-même. La personne aimée est un miroir nous permettant de mieux nous comprendre, de progresser. Elle nous renvoie en effet une image de nous-même que nous ne connaissons peut-être pas, ou mal. La recherche d'une communion avec l'autre, en nous révélant à nous-même, nous aide à nous dépasser.

Voilà pourquoi, selon moi, la meilleure façon d'accomplir un travail spirituel en profondeur passe par cette relation privilégiée entre deux individus. L'émulation affective invite constamment chacun des partenaires à réviser ses opinions, à les nuancer et les clarifier ; elle l'encourage à s'ouvrir à de nouvelles idées, à accepter le changement et étendre toujours davantage son champ de connaissance. Pour résumer, je dirais qu'un rapport amoureux constructif accélère notre transformation individuelle et nous place sur la voie des réalités spirituelles.

Avant de poursuivre plus avant, je veux insister sur le fait que le droit au plaisir sexuel et à l'amour est un droit de naissance, aussi naturel que celui de manger ou de dormir. Notre moi émotionnel aurait sans doute tendance à repousser dans l'ombre cette part d'instinct qui vit en nous, c'est pourquoi nous devons apprendre à évaluer les différents aspects de notre nature. L'harmonie est avant tout un équilibre subtil. L'amour et le sexe sont complémentaires. De leur fusion en un élan unique et généreux dépendent notre bonheur, notre bien-être psychique et physique.

Les quatre niveaux relationnels

Qu'est-ce qu'une relation « réussie » ? L'être humain est complexe par nature. Il attendra d'une relation amoureuse une satisfaction à la fois physique, mentale, émotionnelle et spirituelle. Qu'une seule de ces fonctions vienne à manquer et l'équilibre du couple sera compromis, l'entraînant peu à peu vers une rupture définitive. Nous avons tous fait l'expérience de ce genre de situation. Nous sommes certainement moins nombreux à avoir connu une relation quadridimensionnelle, c'est-à-dire satisfaisant chacun des quatre plans mentionnés ci-dessus. Il nous faut en premier lieu les identifier et prendre conscience que sans leur épanouissement, l'amour ne peut s'épanouir. L'acte sexuel peut et doit être pour le couple, non seulement une expression physique, mais également mentale, émotionnelle et spirituelle.

Le niveau physique

Une relation amoureuse basée sur des rapports charnels est soumise à l'influence de l'élément Terre. Elle répondra tout naturellement aux stimulations primitives ou fondamentales, notamment celle de procréer afin de perpétuer l'espèce. L'envie d'être caressé, cajolé et embrassé – et tout le plaisir que nous en tirons – fait également partie de ces pulsions primitives et accompagne l'accouplement.

Le besoin d'attouchements existe dès la petite enfance ; il est même crucial pour le bien-être du nouveau-né et a une grande influence sur son comportement futur. Des chercheurs ont récemment démontré qu'il était possible d'éveiller la mémoire du corps par des massages appropriés. Par les procédés de thérapie musculaire, on s'est par exemple rendu compte que certaines expériences émotionnelles de l'enfance – colère, chagrin, tristesse – resurgissaient lorsqu'une tension musculaire chronique était enfin soulagée par l'art du massage.

Notre aptitude aux contacts affectifs physiques est donc en grande partie conditionnée par notre expérience d'enfant en ce domaine. Il est cependant possible de modifier ces données, de créer de nouvelles références qui nous amèneront progressivement à apprécier pleinement nos rapports amoureux.

Cette chimie particulière qui pousse irrésistiblement deux êtres l'un vers l'autre – le « coup de foudre » – est sans doute l'une des expériences les plus percutantes qu'il nous soit donné de vivre. Les mythes, les légendes, le roman, la poésie ont amplement exploité ce thème au fil des siècles. Notre désir de contempler la nudité de l'autre n'est que le reflet du désir de le connaître vraiment, de le dévoiler, de trouver le passage vers un contact plus profond encore. Car l'apparence physique – aussi importante soit-elle – n'est que superficielle. En apprenant à comprendre et aimer l'autre, nous apprenons également à voir sa beauté et son pouvoir intérieurs et, dans le même temps, à discerner les nôtres.

La plupart d'entre nous ont vécu cette merveilleuse intensité de l'acte sexuel. On l'a souvent comparée à un volcan en éruption. En effet, la dynamique physique du rapport sexuel nous lie directement aux forces telluriques, ce que les anciens Grecs appelaient Gaea et les Indiens d'Amérique du Nord la Terre-Mère. Une telle relation nous apprend à nous ouvrir aux plaisirs terrestres, à les savourer; également à mieux nous connecter avec notre nature instinctuelle.

Il arrive cependant que des relations purement sexuelles mettent au jour certains aspects peu glorieux de notre personnalité tels que la colère, l'égoïsme, la dépendance, la cruauté. L'acte sexuel agit comme un révélateur, positif ou négatif selon notre attitude et notre état d'esprit. Pour cette raison, il est essentiel de respecter cette énergie sexuelle pour ce qu'elle représente, d'en prendre pleinement conscience. Seule cette prise de conscience nous permettra d'accéder à un degré supérieur sur l'échelle du bonheur.

Le niveau émotionnel

Sur le plan émotionnel l'expérience sexuelle se rattache à l'élément Eau, un plan de toute importance puisqu'il implique le mouvement. Nos émotions, lorsqu'elles sont correctement dirigées, nous amènent en effet à explorer et parfois découvrir de nouveaux aspects de notre personnalité. Par voie de conséquence, elles nous aident à mieux comprendre ce que pense et ressent l'être aimé. À l'image de l'énergie sexuelle, les courants émotionnels peuvent être très puissants. Bien que n'étant ni bons ni mauvais en eux-mêmes, ils recèlent des forces négatives telles que colère, jalousie, égoïsme. Dans leur sens positif ils élèvent notre conscience et ouvrent la porte du cœur.

Nous devons donc nous efforcer de guider nos émotions, d'avoir sans cesse l'esprit en éveil.

Nos besoins émotionnels ne seront satisfaits que s'il existe à l'intérieur du couple un solide équilibre entre donner et recevoir. Si nous cachons nos émotions l'échange devient impossible et la relation en souffrira incontestablement. Sur le plan émotionnel, la notion de partage mutuel implique que l'on sache prendre des risques et faire face aux difficultés. L'harmonie amoureuse requiert un effort de volonté de la part des deux protagonistes. Chacun devra se montrer vigilant, corriger ses attitudes négatives et, surtout, être à l'écoute de ses sentiments. La force de l'amour peut nous aider à surmonter nos craintes et trouver notre équilibre. La confiance et le partage sont les clés de cette liberté-là.

L'honnêteté, le respect de l'autre et la bonne volonté sont indispensables à l'accomplissement réciproque. Face à un problème, les manipulations mentales, rejet de la faute sur l'autre, etc., sont à éviter absolument. Tout comme nos désirs physiques, nos émotions doivent être guidées et correctement interprétées afin d'être de véritables outils de connaissance et d'épanouissement.

Le niveau mental

Le mental est en relation avec l'élément Air : la communication, les idées, la créativité. Dans tout vrai rapport amoureux, le libre échange d'idées, d'impressions et d'observations est essentiel. Il permet de construire de solides bases pour l'intimité et la complicité. L'enrichissement mutuel coexiste alors avec la possibilité pour chacun de poursuivre sa propre quête de la connaissance.

Pour parvenir à une entente intellectuelle où chacun des deux partenaires puisse trouver une satisfaction individuelle, il est important qu'il y ait fusion d'idées sur certaines conceptions fondamentales. Cela n'implique pas que l'homme et la femme doivent s'entendre sur tout et avoir les mêmes goûts, les mêmes opinions. Au contraire, les divergences de points de vue sont stimulantes, elles alimentent et animent le dialogue. Cependant, doit exister un niveau de compatibilité intellectuelle permettant aux partenaires de se respecter l'un l'autre, de communiquer sincèrement. Compatibles mais pas semblables. Un exemple : tous deux peuvent faire preuve de curiosité intellectuelle, mais l'un abordera la logique des choses tandis que l'autre aura une approche plus intuitive. La curiosité est leur terrain d'entente, leur motivation commune.

Sur le plan mental comme sur le plan émotionnel, l'échange et le partage sont primordiaux. Communiquer à l'autre ses espoirs, son ambition, ses frustrations joue un grand rôle dans l'équilibre du couple. Mais les mots, eux aussi, peuvent avoir un effet négatif et dangereux. Les concepts intellectuels et autres transferts sont fréquemment utilisés pour dominer ou humilier l'autre. L'échange d'idées tourne alors à la prise de pouvoir par l'un des deux partenaires et à la sujétion du second. Encore une fois, la prise de conscience et l'ouverture d'esprit sont les maîtres mots.

L'entente intellectuelle dans le couple repose également sur une absence de préjugés et sur la capacité de chacun à se remettre en question. Sommes-nous vraiment honnêtes et transparents dans notre discours ou bien nous censurons-nous par crainte de paraître vulnérable ? Assumons-nous nos problèmes ou bien projetons-nous notre propre culpabilité sur l'autre ? Trop souvent, lorsque le couple bat de l'aile, les deux partenaires se rejettent mutuellement la faute alors que le problème devrait être traité globalement, non pas comme un affrontement entre deux individualités mais comme une tentative d'unité.

Soyons réceptif envers l'être aimé. Sachons l'écouter, le comprendre, accepter ses opinions. Bien que la plupart des religions prônent l'existence d'une seule

Vérité, nous savons tous que celle-ci présente de multiples facettes, que ses couleurs sont changeantes. En être conscient, appliquer ce principe de tolérance à l'intérieur du couple, voilà un pas décisif vers la fusion intellectuelle.

Un contact profond sur le plan intellectuel nous prépare à bâtir une relation spirituelle de qualité.

Le niveau spirituel

Certains d'entre nous ont pu vivre une relation spirituelle avec une personne sans qu'il y ait eu de désir physique. Cette communion de deux âmes est le résultat naturel d'une relation déjà bien établie sur les plans physique, émotionnel et mental. Pour cette raison, l'entente spirituelle au sein du couple est chose à la fois précieuse et extraordinairement puissante. Elle présage de notre fusion complète avec Dieu.

Toutes les grandes religions s'accordent à dire que l'être humain possède une essence spirituelle : l'Atman, le Dieu Intérieur, le Soi Suprême. Celui-ci rayonne depuis le centre de nous-même. Il est Amour, Vérité, Compassion, Sagesse. Sa lumière éclaire le chemin de notre destinée. Elle nous aide à comprendre la raison de notre présence sur terre, mais aussi ce qui fait la qualité d'une relation amoureuse.

C'est par cette Lumière intérieure que nous approchons Dieu, Allah pour les musulmans, le Grand Esprit ou Manitou pour les Indiens d'Amérique du Nord. Les religions orientales et occidentales enseignent que toute manifestation physique est issue d'une Force bienveillante et raisonnante présidant aux destinées de l'évolution. L'expérience spirituelle nous met en contact avec cette inépuisable et insondable source.

La fusion spirituelle est en relation avec l'élément Feu. Dans le contexte d'un rapport amoureux cette fusion implique que les deux partenaires soient indissolublement liés dans leur quête du divin, que l'un ne puisse atteindre l'Illumination sans l'autre. Dans nombre d'anciennes religions nous voyons certains dieux œuvrant avec un partenaire de sexe opposé. Shiva et Parvati ou Shiva et Shakti par exemple sont parmi les couples les plus connus de l'hindouisme. Ils représentent la Force universelle dans toute son harmonie, un équilibre dynamique composé de la polarité mâle (positif) et femelle (négatif). Individuellement, nous devons apprendre à équilibrer ces deux énergies en nous-même afin de nous accomplir spirituellement. À cet égard, l'expérience d'une relation de couple homme-femme est très profitable puisque nous découvrons à travers l'être aimé notre autre polarité.

L'union mystique au sein du couple écarte bien sûr les tentations de l'égoïsme et du narcissisme mais fait également ressortir en les affinant les qualités de chacun. Elle tisse entre les deux partenaires des liens indestructibles.

Une sexualité fondée sur un désir sincère d'accomplissement spirituel purifie et transcende les aspects physiques, émotionnels, et intellectuels de notre être. Elle nous élève et, au-delà de ce sentiment de communion totale avec notre partenaire, nous éprouvons une véritable extase – un orgasme cosmique – celle de ne faire qu'Un avec l'univers.

Le seuil de l'amour

Lorsque s'est opérée cette relation quadridimensionnelle dans le rapport amoureux, alors nous approchons de la signification véritable de l'amour. L'amour ne commence pas lorsque l'énergie sexuelle touche les organes génitaux mais quand elle atteint également l'intellect, le cœur et l'esprit. L'amour est une sexualité épanouie, lumineuse et transformée. Il nous montre la voie à suivre dans l'existence, celle de l'union et de la réalisation, non seulement avec notre partenaire mais dans tous les domaines du quotidien.

Tel est le véritable sens de la liberté. Sans amour, nous n'aurions ni désirs, ni objectifs, ni motivation dans la vie.

Lorsque nous aimons vraiment une personne, sans la volonté négative de la posséder ou de la manipuler, nous apprenons à donner et recevoir, à connaître et apprécier l'autre, c'est-à-dire à mieux nous connaître et nous apprécier nous-même. Nous percevons le potentiel de notre partenaire, le devenir qu'il porte en lui. Il s'agit alors de l'aider à s'accomplir pleinement en faisant abstraction de nos propres idées, sans chercher à le rapprocher de l'image rassurante que nous pouvons avoir de lui. L'être doit devenir ce qu'il est et non ce que nous voudrions qu'il soit.

L'acte sexuel est l'une des plus nobles expressions de l'amour. Il est un formidable véhicule pour la découverte et la création, la dualité se transformant peu à peu en une unité parfaite. Le moment de l'orgasme nous libère de toute contrainte ou limitation et nous met en osmose avec l'ensemble de l'univers, dans un élan de joie pure, de confiance absolue. Une extase qui n'est pas sans rappeler l'illumination mystique.

2

L'équilibre masculin-féminin

La recherche de l'union avec l'être aimé est en fait une quête spirituelle. À travers cette osmose à deux nous tendons vers Dieu, vers la plénitude, vers ce que les mystiques appellent la conscience cosmique. En un sens, ce désir d'union correspond à celui de retrouver le chemin de notre être intérieur et de créer l'unité entre l'âme et la personnalité.

La personnalité comprend tous les traits de caractère et attitudes utilisés au jour le jour dans nos rapports sociaux avec le monde. Elle représente une somme de comportements dictés par notre culture et notre environnement. En contrepartie, l'âme est constituée de toutes les qualités « éternelles » faisant partie de notre être intérieur. Par exemple, l'honnêteté est une qualité de l'âme. Mais la manière dont nous choisissons de l'extérioriser au quotidien est une décision de la personnalité.

Nombre d'entre nous considèrent l'amour comme un élément vital de notre existence, le but essentiel de notre vie sur terre. Saint Thomas d'Aquin décrit l'essence de cette quête lorsqu'il écrit : « Tout amour tend vers l'union. » Bien entendu « union » ne signifie pas seulement rencontrer quelqu'un, l'épouser et vivre avec lui, mais aussi et surtout, transcender le plan physique avec cette personne afin d'être également unis psychologiquement, intellectuellement et spirituellement. Seule une relation de cette nature nous donnera la sagesse intérieure et la possibilité de développer la richesse potentielle qui sommeille en nous.

Nous, individus, vivons dans un monde de dualité : le noir et le blanc, le oui et le non, le bien et le mal, le jour et la nuit, le positif et le négatif, l'actif et le passif, moi et toi, l'homme et la femme. Parce que nous faisons partie de ce monde de dualité, il arrive fréquemment que nous nous trouvions en conflit avec nous-même, conflit qui se manifeste à la fois intérieurement et extérieurement. Certaines religions — comme le taoïsme et le bouddhisme pour l'Orient, ou le soufisme et le druidisme pour l'Occident — proclament que l'objectif premier de notre vie sur terre consiste à trouver l'unité dans ce monde de dualité. Agir en sorte de ne plus avoir à prendre de décisions basées sur le principe des opposés. L'unité intérieure vraiment réalisée nous permet de gouverner librement nos pensées et nos actions et d'éliminer tout conflit avec soi-même et avec le monde. La relation de couple est à cet égard celle qui permet d'accomplir l'unité cosmique à son niveau le plus profond, car n'oublions pas qu'elle est génératrice de vie. Lorsque l'ovule et le spermatozoïde s'unissent pour donner naissance à l'embryon, l'homme et la femme deviennent cocréateurs avec Dieu, leur énergie propre fusionnant avec l'Énergie universelle.

L'Animus et l'Anima

Le rôle premier de la psychanalyse est de nous faire prendre davantage conscience des processus et motivations inconscientes déterminant notre comportement. Elle peut également nous aider à devenir tel que nous voudrions être. Carl Jung soutenait la théorie selon laquelle chaque homme possède en lui un élément féminin et chaque femme un élément masculin. Lorsqu'il émit ce nouveau concept dans les années vingt on le jugea quelque peu hardi. Depuis, la science moderne a établi qu'effectivement, par le phénomène des gènes récessifs, notre corps contenait certaines composantes du sexe opposé. Si cela est vrai sur le plan biologique, les psychanalystes jungiens d'aujourd'hui pensent que cet état androgynique se manifeste également sur le plan psychologique.

L'un des fondements de la philosophie jungienne postule que chacun d'entre nous recherche l'unité avec cette face cachée de lui-même. L'homme a une femme intérieure, son partenaire inconscient, appelée Anima («l'âme»); et la femme un homme intérieur, l'Animus (le «souffle de vie», «l'esprit»).

Notre première relation avec une personne de sexe opposé se noue avec notre père ou notre mère qui remplissent le rôle de modèle pour l'Animus ou l'Anima. Que cette relation soit positive, aimante, chaleureuse et tolérante, et nous entretiendrons avec notre partenaire intérieur un rapport positif. Dans notre vie amoureuse, nous aurons ensuite tendance à attirer des êtres du sexe opposé de nature positive. Par contre, que cette relation parent-enfant soit négative, intolérante et rigide, nous n'éprouverons alors pour notre partenaire intérieur que méfiance et rejet, nos rapports amoureux risquant bien souvent de s'avérer douloureux et décevants.

Pour cette raison, la plupart des ouvrages traitant des problèmes du couple et de la thérapeutique à adopter pour les résoudre suggèrent qu'en premier lieu nous clarifiions la relation avec nos parents. Même si celle-ci nous semble relativement satisfaisante, il existe toujours des zones d'ombre, des points sensibles, certains flagrants, d'autres profondément enfouis dans l'inconscient. En fait, il est rare que nous ayons un partenaire intérieur mâle ou femelle «entier». Nos parents sont humains, comme le sont les autres modèles Animus-Anima qui interviennent ultérieurement dans notre vie. Nul n'est parfait, et quels sont les parents qui ont vraiment assumé leur propre partenaire intérieur?

Nous avons tous beaucoup de travail à accomplir dans ce domaine. Mais notre désir d'union avec l'autre, notre volonté de vivre un amour authentique reflète cette connaissance intuitive qu'un rapport amoureux profond ne saurait s'établir sans que nous ayons au préalable « marié » notre conscient et notre inconscient, notre côté masculin et notre côté féminin.

Par quels moyens l'inconscient peut-il devenir conscient ? La psychothérapie nous aide à y parvenir, tout comme la méditation, l'étude des rêves, l'astrologie, la numérologie, l'analyse graphologique, etc. Cependant – à l'exception de la bioénergie et des autres méthodes dérivées de l'enseignement de Reich, où le corps physique et ses attitudes sont considérés comme les miroirs de nos émotions – ces diverses techniques ne semblent pas prendre en compte le fait que nous soyons des êtres physiques. De même que nous ne pouvons apercevoir notre dos à moins d'un miroir pour nous le réfléchir, nous avons besoin d'une personne de sexe opposé pour nous renvoyer l'image de notre partenaire inconscient, l'Animus ou l'Anima.

Lorsque notre relation avec l'être aimé nous paraît défectueuse, c'est vers notre Animus ou notre Anima qu'il faut nous tourner pour en chercher les causes. Bien entendu, cette idée que nous soyons nous-même « inconsciemment » responsable des dissensions à l'intérieur du couple n'est pas chose agréable à envisager. Notre première réaction est de rejeter la faute sur l'autre, de lui reprocher tel trait de caractère ou telle façon de se comporter. Dans le pire des cas, nous mettrons un terme à cette relation. Mais une séparation ne résoudra rien. Les mêmes problèmes se représenteront sans doute plus tard. Si nous ne changeons pas en profondeur, nous aurons en effet tendance à attirer des partenaires semblables et à reproduire les mêmes situations boiteuses que par le passé. Il est bon de savoir que la séparation ou le divorce ne modifieront en rien notre Animus ou notre Anima. Tant que nous n'aurons pas fait l'effort de comprendre et d'accepter cette face cachée de nous-même, aucun progrès ne sera possible dans nos rapports avec les personnes de l'autre sexe. Dans cette optique, toute relation amoureuse, même difficile et douloureuse, doit être pour nous l'occasion de dévoiler les défauts et les faiblesses de notre partenaire intérieur et de nous orienter sur le chemin de l'accomplissement.

Mon expérience en tant que thérapeute m'a montré que beaucoup de nos parcours personnels présentaient des cas de figure similaires. Ceux-ci peuvent nous aider à mieux nous connaître. Dans l'exemple que je cite, une jeune femme – nous l'appellerons Susan – a eu la révélation de son Anima à travers sa relation de couple avec Alan...

Ils se sont rencontrés au mariage d'un ami. Susan fut instantanément séduite par le charme d'Alan. Lors de leurs premiers rendez-vous, il se montra d'une attention et d'une délicatesse qui la confondirent. Elle tomba éperdument amoureuse, se demandant tout de même de temps à autre si tout cela n'était pas trop beau pour être vrai. Justement... Après quelques semaines, le rêve s'estompa quelque peu pour faire place à une réalité moins agréable. Alan commença à critiquer sa façon de s'habiller, lui reprocha ses amours passées ou ses fréquentations. S'il avait bu quelques verres ou s'il avait passé une mauvaise journée au bureau, il devenait franchement agressif, faisant preuve d'un machisme forcené.

Susan ne savait que penser... Elle aimait être avec Alan lorsqu'il était de bonne humeur et appréciait qu'on la voie en sa compagnie parce qu'il était bel homme. En outre, elle redoutait la solitude et cette relation – même imparfaite – lui apportait un certain réconfort moral. Pour compliquer le tout, elle s'estimait en partie responsable des colères d'Alan. Ayant en effet une piètre opinion d'elle-même elle avait tendance à prendre sur elle les états émotionnels des autres. Aussi, pour toutes ces raisons et malgré son amour-propre blessé, Susan poursuivait-elle cette relation.

Il arriva ce qui devait arriver. De plus en plus difficile à vivre, jaloux et méfiant, Alan devint physiquement violent. Un soir qu'il avait bu et suspectait Susan de le tromper, il la frappa violemment. La jeune femme prévint la police et, heureusement pour elle, eut le courage de rompre aussitôt. Elle fut orientée vers un centre d'accueil où elle bénéficia d'une assistance psychologique.

Il serait trop long d'analyser cette relation en détail. Cependant, après que Susan eut été capable d'exprimer ses sentiments de colère elle commença à s'interroger sur ce qui avait pu la pousser à se lier avec quelqu'un comme Alan. Quel enseignement pouvait-elle tirer d'une telle relation ?

Les aspects négatifs : Elle se rendit compte qu'Alan présentait bien des traits communs avec son père, lequel buvait exagérément et se montrait grossier et injustement critique à l'égard de Susan et de sa mère. Susan ne se sentait jamais assez bien pour lui, une attitude qu'elle reproduisit avec Alan dont la brutalité se manifesta tout d'abord sous forme de sarcasmes et de moqueries. Entraînée dans l'impasse de la soumission, elle devint alors dépendante de son jugement pour se faire une opinion de sa valeur propre. Des années auparavant, sa mère avait adopté exactement la même stratégie dans ses rapports conjugaux. La peur de la solitude, liée au climat émotionnel de son enfance, fut également pour Susan l'une des raisons qui la poussa à maintenir à tout prix sa relation avec Alan. Alan profita de l'insatisfaction de Susan dans sa vie professionnelle – y voyant sans doute le reflet de son propre sentiment d'échec – pour ternir encore davantage l'image qu'elle avait d'elle-même. En prenant conscience de ces faits et de leur connexion avec le passé, Susan put commencer à travailler efficacement au sein du groupe que je conduisais alors.

Les aspects positifs : Susan se découvrit une force intérieure qu'elle ignorait. Elle admit en effet avoir eu des craintes sérieuses dès le début de sa relation avec Alan («C'était trop beau pour être vrai») mais n'en avoir pas tenu compte par la suite. Elle se promit d'être dorénavant davantage attentive aux intuitions et pressentiments. Elle se rendit compte également que d'une certaine manière Alan avait créé une situation où il était plus qu'elle en état de demande. En tissant cette toile complexe de charme et d'attentions il montrait à quel point il avait besoin d'elle, même s'il ne savait exprimer ce besoin de façon positive. Susan comprit ensuite que cette partie d'elle-même qui acceptait les insultes d'Alan était extrêmement sévère quant aux jugements portés sur sa propre personne. Ce tyran intérieur représentait cependant une source d'énergie brute qui, si elle était correctement canalisée, pouvait déclencher un processus de transformation positif.

Susan parvint enfin à entrer en contact avec l'autre partie d'elle-même, celle de l'amour-propre et du respect de soi. En prenant en effet la résolution de faire arrêter Alan et de chercher une assistance psychologique, elle manifestait son désir de briser cette relation douloureuse et de se changer elle-même. Cette volonté d'éclaircir ses rapports conflictuels avec les hommes lui permit de comprendre progressivement son Animus, de coopérer avec lui afin d'entreprendre un travail effectif sur son passé. Elle s'attela ainsi à résoudre la relation avec son père, seule tout d'abord puis en discutant avec lui – discussions souvent orageuses. Son but n'était pas de continuer la dispute et d'en attribuer la responsabilité à l'un ou à l'autre mais de se mesurer aux confrontations émotionnelles que nécessitait ce travail de transformation intérieure. Elle apprit à mieux se connaître et donc à s'aimer davantage. Cette introspection eut pour effet de commencer à briser les schémas relationnels du passé et Susan se sentit attirée par des partenaires avec lesquels il était possible d'envisager des rapports sains et équilibrés. Bien qu'elle hésitât encore à s'engager totalement dans une nouvelle relation amoureuse, elle continua d'approfondir sa connaissance d'elle-même et de son Animus au travers de ses expériences. Sa vie sentimentale était certes loin d'être parfaite mais elle avait du moins réussi à rompre le cercle vicieux du passé, instaurant de nouvelles bases sur lesquelles elle pourrait, le moment venu, vivre un amour pleinement accompli.

Il va de soi que le cas de Susan reflète un processus d'évolution spécifique qui sera différent pour chacun de nous. La meilleure illustration de cette alliance entre l'Animus et l'Anima se trouve sans doute dans les mythes et les contes de fées. Ceux-ci font sans cesse allusion à l'union des principes mâle et femelle, du conscient et de l'inconscient dans le contexte de la quête spirituelle. Voilà pourquoi les mythes et contes de fées les plus anciens continuent d'exercer une telle fascination universelle. L'enfant saisit instinctivement leur signification et nous savons tous que leur dénouement sera heureux parce qu'ils reposent sur les vérités fondamentales de l'amour et de l'union que chacun de nous a le pouvoir de réaliser.

Dans nos contes de fées préférés tels que «Cendrillon», «La Belle au bois dormant» et «La Belle et la Bête», la vérité triomphe toujours, l'union apporte bonheur et liberté. Mais il y a nombre d'obstacles à surmonter, d'épreuves à subir et de pièges à déjouer. Comme dans la vie réelle, ces «travaux» nous enseignent le pouvoir et la signification de l'amour, du sacrifice et de la tolérance. Dans le livre de J.C. Cooper «Les Contes de fées : Allégories de la vie intérieure», l'auteur cite cette phrase que Soljenitsyne prononça lors de son discours pour la remise du prix Nobel : «Certaines choses nous mènent dans un royaume situé au-delà des mots... un peu comme ce petit miroir dans les contes de fées – vous regardez dedans mais ce que vous voyez, ce n'est pas vous-même ; pendant un instant vous entrevoyez l'Inaccessible... et votre âme se le réclame à toute force.»

La plupart des mythes et contes de fées sont riches en symbolisme et offrent une vision pénétrante de la condition humaine et du pouvoir de la vérité spirituelle. Les principaux thèmes traitent de la quête de l'homme pour l'Unité à travers le compagnon idéal, le plus souvent un prince ou une princesse. Les personnages clés des contes de fées sont des hommes et des femmes qui se mesurent aux épreuves de la vie dans le monde de la nature. Pour ceux qui se montrent courageux et purs dans leur cœur une aide spirituelle est toujours disponible.

« Cendrillon », par exemple, illustre les thèmes universels du paradis perdu et du paradis retrouvé. Nous avons tous éprouvé à un moment ou à un autre le bonheur et la réussite, la déception et l'échec. « Cendrillon » nous montre la descente de l'âme dans le monde humain de la douleur et de la privation, mais aussi l'inspiration de l'instinct et de la conscience supérieure. Nous assistons également à la rencontre avec le partenaire intérieur, la perte du compagnon idéal, et finalement leur union exprimée par la célèbre et traditionnelle formule : « Ils furent heureux et eurent beaucoup d'enfants. »

En tant que thérapeute il m'arrive fréquemment de recourir au mythe de Cendrillon pour décrire les étapes de réalisation d'une relation amoureuse. Je vous propose d'examiner brièvement ces symboles cachés et leur signification.

Le jardin d'Éden. L'enfance de Cendrillon avec ses parents, heureux de vivre et pleins d'affection pour elle. Cendrillon incarne la beauté, la pureté et le bien.

La perte. La Mère – qui représente l'élément féminin, l'âme – meurt. Le père se remarie. Il est de plus en plus absent de la vie de Cendrillon qui se trouve confrontée à la méchanceté de sa belle-mère et de ses deux demi-sœurs. Celles-ci représentent la face obscure de la Terre-Mère : la sévérité et la souffrance. Elles sont les limitations humaines que nous devons et pouvons surmonter. Cendrillon demeure dans la voie du bien, tel est son choix.

L'intervention divine. Elle est nécessaire pour transcender la condition humaine et ses épreuves. Ici, la marraine-fée incarne la conscience supérieure qui connaît le futur compagnon de Cendrillon et les moyens de l'atteindre. Les animaux symbolisent notre nature instinctuelle. Lorsqu'ils sont changés en valets de pied et cochers nous comprenons à quel point l'intuition peut nous assister.

La rencontre. Le prince charmant rencontré au bal représente l'idéal de Cendrillon, l'union avec l'âme. Il est beau, riche et aimant. Il reconnaît immédiatement Cendrillon et cherche sa compagnie. L'âme possède tout ce dont nous avons besoin et désirons. Elle attend que nous venions à elle pour nous combler de ses bienfaits.

La perte. Lors de la première rencontre, Cendrillon – l'élément humain – est incapable de soutenir la conscience supérieure incarnée par le prince. Tous deux retournent donc à leur état de séparation et d'attente. Ils ont cependant pris véritablement conscience de ce qu'ils espéraient de la vie et savent au plus profond d'eux que rien ne pourra empêcher leur union. Le prince se lance en effet à la recherche de Cendrillon. Il la retrouve et la libère. Certains ont reproché à ce conte d'entretenir l'idée chimérique du prince charmant survenant soudain dans la vie d'une femme pour lui apporter bonheur et richesse. Cette interprétation oublie de considérer le fait que le prince est le symbole de l'âme humaine, et crée un grave malentendu culturel. Elle a pour résultat de nous faire projeter ces besoins sur nos partenaires et d'engendrer à plus ou moins brève échéance le désenchantement réciproque.

L'union. Le prince et Cendrillon se marient enfin. Le mariage symbolise l'union intérieure qui, une fois réalisée, demeure pour toujours avec nous.

Les livres de Robert Johnson, « Elle » et « Lui », témoignent eux aussi que la relation amoureuse mène à une conscience spirituelle à travers l'union intérieure de l'Anima et de l'Animus. Dans « Lui », Johnson reprend le mythe de Parsifal afin d'illustrer la volonté de l'homme d'accomplir son intégration avec l'Anima, intégration qui précède l'accès à la conscience spirituelle lors de la visite au château du Graal. Johnson attire notre attention sur le fait que les différents rôles féminins symbolisant l'Anima à l'intérieur de l'homme – La mère, Blanche-Fleur et la méchante demoiselle – sont tous représentatifs de l'âme humaine, la guidant et l'accompagnant jusqu'à la réalisation de soi. Il souligne également le fait que Parsifal doit demeurer chaste et fidèle afin d'accomplir l'union spirituelle au château du Graal.

La quête féminine de la conscience est personnifiée par le mythe de Psyché qui doit perdre son amant divin pour intégrer son Animus. Elle acquiert indépendance et félicité éternelle dans l'amour après une série de dures épreuves auxquelles la soumet Aphrodite.

Psyché et Parsifal auront donc tous deux accompli le mariage intérieur et l'union spirituelle qui leur ouvrent les portes du bonheur et de la plénitude. L'alliance avec notre partenaire intérieur – qu'il s'agisse de l'Animus ou de l'Anima – est essentielle pour chacun d'entre nous. Elle nous restitue notre intégrité et nous offre la liberté d'aimer et d'être aimé.

L'ombre et le résident du seuil

Pour Jung, *l'ombre* est ce côté de notre personnalité que nous refusons de reconnaître et refoulons dans l'inconscient. Distincte de l'Animus et de l'Anima, l'ombre est essentiellement composée des attributs et qualités inconnus ou peu connus du Moi pouvant être associés à des stéréotypes masculins ou féminins (parfois les deux). Un exemple : l'agressivité peut être l'un des aspects de l'ombre, que nous soyons un homme ou une femme. Jung jugeait indispensable d'intégrer l'ombre à l'ego (le Moi conscient) afin d'être en mesure de reconnaître l'Animus ou l'Anima. Il pensait également que la découverte de l'ombre ne pouvait se faire pleinement qu'au travers d'une relation avec un partenaire du sexe opposé, le rapport Animus/Anima se définissant alors clairement et s'intégrant de lui-même à notre conscience. Une fois de plus nous retrouvons l'effet miroir que revêt une relation amoureuse et son importance dans l'accession à la plénitude individuelle.

La métaphysique peut se définir comme une division de la philosophie incluant à la fois la science de l'être et la science des causes fondamentales et processus de l'expérience. Elle tente d'expliquer les aspects intérieurs ou cachés de l'existence et possède un vocabulaire qui lui est propre. Ainsi, l'expression *résident du seuil* est utilisée pour décrire les traits de notre personnalité qui n'ont pas été reconnus et acceptés lors de nos incarnations précédentes, et qu'il nous appartient ici et maintenant d'intégrer et de reconnaître. (La doctrine de la réincarnation sera discutée plus en détail dans le chapitre 5.) Comme l'ombre, le résident du seuil sera le plus clairement perçu au travers d'une relation amoureuse, l'autre nous renvoyant l'image de notre paysage inconscient. Jusqu'à ce que le résident du seuil ait été accepté sous tous ses aspects et dans toutes ses implications nous ne pourrons aspirer à la véritable plénitude.

Dans les mythes et les contes de fées, l'ombre ou le résident du seuil sont représentés par les sorcières, les monstres, les forêts obscures, les grottes. Le héros ou l'héroïne progresse toujours depuis l'innocence de l'enfance (souvent symbolisée par le jardin d'Éden ; l'inconscient) vers le sommeil ou la séparation d'avec sa famille (qui symbolisent la période de mise à l'épreuve, l'initiation) puis vers l'âge adulte, la lumière, la résurrection, l'amour révélé (conscience cosmique). Dans ces histoires nous sommes confrontés à la face obscure de notre nature pour nous élever ensuite vers une conscience supérieure. Ce rite de passage peut revêtir bien des aspects. C'est par lui que nous gagnons notre place et notre sens des responsabilités au sein du monde.

Cette nécessité de reconnaître et d'accepter l'ombre et le résident du seuil est parfaitement illustrée dans des contes de fées tels que «La Belle et la Bête» et «Le Prince Grenouille». Dans ces deux histoires, le très laid et très repoussant compagnon-monstre est victime d'un maléfice qui ne peut être rompu que par le courage, l'amour et la reconnaissance de ses vertus cachées sous une apparence hideuse. Cette créature monstrueuse, transformée par l'amour en un amant idéal, est en fait l'ombre ou le résident du seuil, c'est-à-dire tout ce qui est inconscient en nous. Lorsque l'inconscient est ignoré, craint ou mal interprété, nous le voyons comme quelque chose d'affreux et d'abominable. L'ombre renferme toutefois un caractère positif, une pureté foncière au-delà des apparences, que notre conscience se doit de découvrir. Le mariage de la Belle et de la Bête symbolise l'union des principes féminin (Anima) et masculin (Animus) mais également l'intégration de l'ombre à notre personnalité consciente (l'ego).

«La Belle et la Bête» offre encore un autre niveau d'interprétation nous éclairant sur les domaines respectifs de la polarité mâle-femelle. La Bête règne sur le monde matériel mais est encore insatisfaite et repoussante. Ce maléfice dont elle est victime représente l'illusion selon laquelle l'existence se limiterait à notre être physique. L'élément masculin règne donc sur le monde matériel mais ne peut accéder à la plénitude par lui seul. L'élément féminin (la Belle) détient le pouvoir de l'amour capable de transformer l'élément masculin (le monde matériel), de le libérer (en rompant le maléfice) afin qu'il retrouve son identité spirituelle. Masculin et féminin ont besoin l'un de l'autre pour accéder à la plénitude.

La Belle est elle aussi insatisfaite jusqu'à ce qu'elle ait trouvé un compagnon qui lui permette de s'exprimer. Son intuition naturelle lui permet de déceler la bonté cachée dans le cœur de la Bête qui partage alors avec elle sa richesse matérielle. La Bête est ensuite changée en un beau jeune homme. Tous deux sont transformés par l'amour.

Si nous n'acceptons pas les aspects apparemment négatifs de notre personnalité – tels que cruauté, cupidité, lâcheté, veulerie – nous ne serons jamais en harmonie avec la bonté universelle. Des religions comme le christianisme, le bouddhisme et le taoïsme considèrent que le mal provient de l'ignorance, l'Homme étant fondamentalement bon. Nous devons donc apprendre à choisir l'attitude juste en toute situation, comprendre et mesurer la portée de nos actes et savoir que, lorsque nous nous comportons de manière négative, outre le fait que nous n'obtenons jamais ce que nous désirons vraiment, nous nous causons du tort à nous-même et aux autres. Par l'effort et la compréhension il nous est possible de dépasser ces schémas négatifs, de tirer un enseignement de nos erreurs afin de nous façonner une attitude positive pour le futur. Un tel processus peut prendre des années. Dans le contexte de nos incarnations successives, il peut prendre bien des existences.

Archétypes

En nous élevant vers l'intégration et la plénitude, une vision claire de la femme ou de l'homme idéal nous est nécessaire. Notre société nous fournit un grand nombre d'images idéales sous forme de héros et d'héroïnes médiatiques, que ce soit en littérature, en politique, dans le monde des sports ou du show business. Bien que ces modèles varient en fonction des différentes époques et cultures, il existe cependant certaines constantes. Notre culture occidentale entretient depuis bien des siècles l'image idéale d'un homme fort, autoritaire et dominant, d'une femme nourricière, passive. Ces qualités font partie des archétypes mâle et femelle que nous portons en nous.

Selon Jung, l'archétype est un motif – ou image idéale – commun à toute l'humanité. Ils appartiennent à l'inconscient collectif et sont des composantes à la fois positives et nécessaires de la nature humaine. Il arrive souvent que l'on confonde les archétypes avec les stéréotypes sociaux, ces derniers étant généralement faussés et partiaux en raison de leur rigidité. Afin d'éviter toute confusion, j'ai dressé une brève liste des archétypes masculins et féminins, puis des stéréotypes qui leur correspondent.

	Archétype	*Stéréotype*
MASCULIN	Paternel	Patriarcal
	Fort	Dominant
	Actif	Compulsif
	Autoritaire	Agressif
	Protecteur	Meneur
	Stable	Rigide
	Objectif	Obtus
	Réaliste	Matérialiste
	Sérieux	Sans humour
FÉMININ	Maternelle	Matriarcale
	Sensible	Faible
	Réceptive	Passive
	Nourricière	Oppressante
	Flexible	Instable
	Subjective	Irréaliste
	Émotionnelle	Frivole
	Fantasque	Étourdie
	Intuitive	Négligente

Tout au long de notre vie nous essayons avec plus ou moins de succès d'être à la hauteur de l'archétype de notre sexe tandis que nous projetons l'archétype opposé sur nos partenaires. La déception provient souvent de ce que l'autre ne correspond pas à l'image archétypale. Toutes les femmes doivent-elles être des maternantes et tous les hommes plus forts et plus actifs que leur compagne? Est-il impensable qu'un homme s'occupe des enfants pendant que sa femme travaille au-dehors?

Beaucoup d'entre nous font la confusion entre les archétypes traditionnels et les stéréotypes sociaux, confusion qui cause bien des dommages et bien des malentendus dans les rapports du couple.

Jung pensait que les qualités inhérentes aux archétypes masculins et féminins étaient fondamentales et qu'il importait avant tout de travailler sur les idées fausses que nous avions pu concevoir à leur sujet. Les images archétypales remontent aux origines de l'humanité et peuvent encore aujourd'hui nous guider et nous éclairer. Il convient pour cela de ne pas s'en tenir aux définitions souvent trop superficielles et incomplètes couramment répandues dans la société moderne. Il semble en effet que dans les anciennes cultures, hommes et femmes aient eu un éventail plus large de rôles archétypaux. La position élevée de la concubine dans la Chine antique, les prêtres et prêtresses dans les temples d'Égypte et d'Inde en sont quelques exemples. La confusion des rôles qui règne aujourd'hui démontre à quel point le champ des qualités archétypales s'est rétréci. Nombre de possibilités de rôles autrefois courantes ont été reléguées dans les débarras de notre société moderne. Autre exemple : dans l'ancienne Scandinavie il était tout à fait naturel que les hommes expriment publiquement leur tristesse et leur chagrin. Aujourd'hui, une telle attitude serait considérée comme une preuve de faiblesse et de manque de caractère. Cette dichotomie crée une image caricaturale des hommes et des femmes et peut parfois entraîner un sentiment de méfiance et d'hostilité entre les deux sexes.

Si l'homme et la femme sont effectivement différents l'un de l'autre, nul besoin cependant qu'ils soient en guerre l'un contre l'autre. Au lieu de cela, nous devons – en tant qu'hommes et femmes – aspirer à l'unité des possibilités archétypales qui s'offrent à nous. Une telle démarche nous protégerait des effets pervers de notre propre Animus ou Anima et nous aiderait à résoudre la méfiance, voire le mépris que l'on pourrait éprouver à l'égard de l'autre sexe.

Dans notre société moderne les femmes sont fréquemment considérées soit comme des princesses, soit comme des prostituées. Dans les mythes et légendes des cultures antiques telles que l'Égypte et la Chine taoïste, ces deux images s'appliquaient en fait à la Déesse. Quelle est donc l'origine de cette croyance? Les peuples primitifs vivaient en contact étroit avec la terre qui leur procurait nourriture et protection. Elle était leur Mère à tous et ils la vénéraient comme telle. Les femmes, donneuses de vie, furent révérées pour leur pouvoir de recevoir et transmettre les énergies issues des profondeurs de la terre. Elles devinrent tout naturellement les représentantes de la Terre-Mère, les officiantes et prêtresses parfois investies d'un réel pouvoir de décision au sein de la communauté.

La femme archétypale était la jeune fille, la vierge représentant la vertu et l'innocence. Mais aussi, la séductrice, la tentatrice qui inspirait les hommes, les initiait aux mystères de la sexualité et les attirait dans le monde souterrain de la volupté. Elle incarnait encore la fertilité, l'abondance. Puis la mort sous les traits de la jeteuse de sorts qui connaît les lois éternelles de la nature et les manipule à son gré. Toutes ces images archétypales sont autant de visages que possède la Déesse, chacun remplissant une fonction déterminée dans le cycle de la vie. Dans les temps anciens ces différentes images étaient considérées comme utiles et nécessaires malgré la crainte que certaines inspiraient. Les femmes avaient la liberté d'exprimer telle ou telle image archétypale selon le schéma de destinée qu'elles se choisissaient. De leur côté, les hommes se prononçaient pour celle dont l'archétype correspondait le mieux à leur propre évolution.

Beaucoup pensent aujourd'hui que l'emphase placée par la société sur les valeurs masculines d'intellectualité et de rationalisme ont contribué au déséquilibre et à l'étroitesse de nos vues actuelles. Nous avons tendance à ignorer ou mépriser les valeurs d'intuition, de sensibilité. Sans doute serait-il temps d'opérer un plus juste équilibrage, de se mettre à l'écoute de notre femme intérieure. Le puissant mouvement féministe de «retour à la Déesse» est un pas décisif dans cette direction, retour qui permettra à l'homme et à la femme de se libérer de l'emprise mentale abusive de notre temps menaçant gravement les relations humaines, la société elle-même et la planète sur laquelle nous vivons.

Dans son livre «La Quête symbolique», Edmund Whitmont expose sa classification archétypale des images masculines et féminines. Il postule quatre manifestations essentielles pour l'homme idéal : l'Animus : le Père, qui protège et défend les siens. L'Éternel Adolescent, qui est talentueux et créatif. Le Héros, qui est ambitieux et triomphant. Le Sage, qui instruit et guérit.

La femme idéale, l'Anima, l'âme, représente la force créative de la matière. Elle est la Mère, qui nourrit et apporte la sécurité. L'Hétaïre, la belle et raffinée courtisane. L'Amazone, vigoureuse et pragmatique. La Spirite, créative et intuitive.

Malheureusement, nous voyons trop souvent l'ombre de ces archétypes, c'est-à-dire leur côté négatif. Lorsque par exemple le Père devient excessivement protecteur et empêche l'épanouissement des siens, lorsque l'Éternel Adolescent semble incapable de sincérité et d'engagement, lorsque le Héros paraît insensible à tout ce qui ne concerne pas son ambition personnelle, lorsque le Sage se montre fanatique et nous entraîne vers le chaos.

L'ombre des archétypes féminins nous menace lorsque la Mère devient trop possessive et nous étouffe, lorsque l'Hétaïre affiche sa froideur et son dédain, lorsque l'Amazone est par trop dogmatique et dominatrice, lorsque la Spirite est prise de folie et représente un danger potentiel.

C'est par peur de l'ombre que nous restons confinés dans ces définitions étroites qui limitent notre horizon et prolongent notre souffrance. La plupart d'entre nous livrent un combat perpétuel contre leurs propres ombres ou partenaires intérieurs. Cette situation nous entraîne à jouer toutes sortes de rôles négatifs en société. La dénaturation des images archétypales masculines et féminines a mené à l'inégalité sociale, à la discrimination raciale et sexuelle. Les sentiments de suprématie et d'omnipotence de l'homme sur la Terre ont créé les problèmes de pollution, de gaspillage et d'exploitation irraisonnée des ressources naturelles. Le guerrier aveuglé par son désir de puissance s'est lancé dans la course aux armements. L'homme d'affaires assoiffé de pouvoir est à présent rongé par le démon de la démesure et de la cupidité.

Si nous souhaitons changer la société, nous devons tout d'abord modifier le regard que nous portons sur nous-mêmes en tant qu'hommes et femmes, travailler ensemble pour que notre vision de l'humanité soit plus équilibrée et plus juste. La plupart des drames actuels sont le résultat de cette dénaturation des rôles de l'homme et de la femme dans le monde. Nous ne pourrons connaître la plénitude que lorsque nous aurons rétabli l'harmonie entre les forces en présence.

Au risque de nous sentir mal à l'aise ou vulnérable, il en va de notre épanouissement et de notre bonheur futurs que nous brisions les images communément acceptées du rôle de l'homme et de la femme dans la société. En intégrant les quatre archétypes décrits par Whitmont, nous accédons à une plus grande liberté, une plus grande diversité, donc à une authentique plénitude d'être. L'homme, par exemple, s'appliquera à établir le contact avec les quatre aspects de sa masculinité, travaillant et développant les qualités archétypales qui lui font défaut. Il s'efforcera également de reconnaître la validité des quatre archétypes féminins, les éprouvant tout d'abord par projection sur sa partenaire. De la même façon, la femme s'attachera à reconnaître les aspects archétypaux de sa féminité puis ceux de son compagnon.

Dans les mythologies indienne et chinoise l'homme ne représentait pas seulement le héros, il symbolisait l'esprit, le ciel et détenait la conscience pure. La femme, elle, outre ses qualités créatives et son pouvoir de donner la vie, symbolisait l'âme, les forces naturelles et l'instinct sans lequel on ne peut survivre. Elle était la grande prêtresse du temple, celle qui connaissait les secrètes affinités des choses. Elle initiait et inspirait tandis que l'homme se chargeait de l'accomplissement des actes. Les sages indiens enseignaient que la réalisation de la plénitude et de la conscience cosmique était le produit d'un travail fait à deux.

Selon la tradition tantrique, l'homme est le passage vers l'esprit et le ciel, la femme vers la sensibilité et la terre. Chacun possédant en lui des qualités masculines et féminines, nous avons le pouvoir d'éveiller ces facultés divines. Lorsque nous aurons vraiment foi en cela et le vivrons pleinement, alors seulement pourrons-nous nous réaliser dans l'amour.

3

L'histoire des rôles sexuels

Nous approchons à grands pas de l'an 2000. La dernière décennie du vingtième siècle et les cent années qui suivront seront sans aucun doute marquées par une nouvelle accélération en matière de progrès scientifique et technologique. L'exploration spatiale, la génétique, les communications satellite et l'informatique ; autant de domaines qui vont encore accroître leur influence sur notre quotidien. Fascinés et perplexes, nous participons à cette incroyable aventure tout en nous demandant – parfois non sans inquiétude – de quoi demain sera fait. Une chose est néanmoins certaine : où que nous soyons, quels que soient notre attitude et notre rôle au sein de la société, nous constituons la génération du futur.

Parallèlement à cela, nous éprouvons le besoin de mieux connaître et comprendre notre passé et la place historique que nous occupons dans le schéma général des choses. Le regain d'intérêt pour les arts médiévaux et les romans historiques le montre bien. Les disciplines universitaires telles que l'architecture ancienne, les mythologies gréco-romaines et égyptienne sont à nouveau au goût du jour. Même chose pour les philosophies religieuses de l'Inde, de la Chine et du Japon, pour les rites et croyances des Incas, des Mayas et des Indiens d'Amérique du Nord. Nombre d'ouvrages sur les mythes et légendes des

Celtes et des Vikings connaissent également une grande popularité, preuve que l'homme d'aujourd'hui revendique l'héritage culturel de ses lointains ancêtres. Cette fascination pour le passé fournit un contrepoint particulièrement révélateur au développement technologique marquant notre époque. Alors que nous nous élançons vers le futur, l'exploration de nos origines semble s'imposer à nous avec force et insistance.

L'un des domaines d'investigation les plus passionnants concerne l'évolution des rôles sexuels à travers les âges. S'il est communément admis que les mœurs sexuelles exercent une influence majeure au sein de notre civilisation, nous sommes moins nombreux à comprendre pourquoi et comment les vies des hommes et des femmes d'ancienne Égypte, d'Inde ou de Grèce antique peuvent influer aujourd'hui sur les rôles sexuels que nous jouons. Dans ce chapitre, nous allons explorer quelques aspects de cette évolution historique et préhistorique, aussi bien au travers de témoignages écrits que de légendes transmises oralement de génération en génération.

Patriarcat / Matriarcat

L'un des traits distinctifs de notre société moderne touche à l'inégalité entre hommes et femmes. Bien que cette situation soit peu à peu en train d'évoluer dans certains pays, l'homme reste globalement investi de son rôle de « meneur » et de « preneur de décisions » tandis que la femme demeure un citoyen de « second ordre ».

Si les deux tiers des heures de travail dans le monde sont effectuées par des femmes, un dixième seulement du produit financier mondial est contrôlé par elles. En Afrique et en Inde, les femmes sont encore considérées comme la propriété de l'homme. Dans les pays islamiques, elles doivent porter un voile et marcher derrière leur mari. Certains droits inaliénables pour les femmes occidentales sont jugés inacceptables, voire sacrilèges dans ces pays. Le droit de vote et d'accession à la propriété, celui de disposer de son corps, l'égalité salariale avec les hommes – même s'il reste parfois bien des progrès à faire dans ce dernier domaine – sont des acquis relativement récents pour les femmes des pays industrialisés.

Cette situation d'inégalité est le produit de ce que l'on appelle le système patriarcal. Ce système implique la domination des femmes par les hommes, ceux-ci disposant de davantage de pouvoir individuel et politique, de plus grandes chances sur le plan professionnel, de salaires plus élevés, etc.

L'étude historique nous apprend que le système patriarcal – caractérisé par la suprématie du père au sein du clan ou de la famille – n'a pas toujours été prédominant. De nombreuses cultures anciennes où la femme était vénérée vivaient en effet sous le système du matriarcat. Les femmes détenaient le pouvoir, avaient seules le droit à la propriété. Les hommes étaient alors sous leur dépendance et leur domination, parfois même opprimés par elles. Des témoignages de ces cultures matriarcales – où la femme était à la fois Déesse et guerrière – subsistent dans les légendes et les coutumes de certains pays d'Afrique et du Moyen-Orient.

Dans ces sociétés, les femmes avaient la garde du monde intérieur, la souveraineté sur la famille. Elles prenaient les décisions et conduisaient les affaires du clan.

La Déesse

L'histoire de la Déesse se confond avec celle de Mère Nature. On lui voue un culte depuis l'aube des temps, bien avant l'apparition de dieux mâles. Les hommes primitifs dépendaient totalement de la terre pour se nourrir et s'abriter. Ils regardaient les plantes sortir du sol, puis les enfants du ventre des femmes.

Ce dernier phénomène n'étant pas encore associé à l'acte d'insémination, l'homme ne se doutait alors aucunement du rôle qu'il jouait dans la procréation et pensait que la femme détenait en son sein le principe générateur de la vie. La naissance de l'enfant était mise en parallèle avec l'image de la terre procurant de la nourriture en abondance. De cette association naquit l'idée que la Déesse, la femme, et la terre étaient étroitement liées en tant que manifestations créatives de la Mère Univers. Cette croyance ne faisait pas de distinction entre la Déesse originelle, la terre, et la fille de la terre, la femme.

S'ils vénéraient son extraordinaire pouvoir créatif, les hommes primitifs redoutaient également la force de destruction du principe féminin telle que tremblements de terre, orages, volcans et autres phénomènes naturels. Terrifiés par ces bouleversements terrestres, ils en conçurent une crainte religieuse des femmes, se soumettant docilement à leur autorité, parfois à leur despotisme. Pour eux, la femme était en effet seule capable d'apaiser Mère Nature, d'établir avec elle un dialogue et d'intervenir dans la destinée des hommes. Le culte de la Déesse devint un système de croyance très puissant dans bien des régions du globe, et cela pendant des milliers d'années. Certaines cultures pratiquaient les sacrifices humains, d'autres des rites de fertilité incluant la castration des hommes, symbolique ou réelle.

Des traces de ces cultes ont été relevées un peu partout sur la planète : en Sibérie, en Afrique du Sud, en Irlande ; certains prélèvements archéologiques remontant à 25 000 ans avant J.-C. La Déesse primitive était l'annonciatrice de celles à venir – et que l'on connaît mieux – en Égypte, en Mésopotamie, en Grèce, à Rome. Quelques exemples de cette toute-puissante Déesse : Ajysyt, la déesse sibérienne de la naissance, et Atira, la Mère Universelle des Indiens des Plaines. Atira, symbolisée par un épi de maïs, représentait le corps même de la terre vers laquelle toute vie était censée retourner à la fin de son cycle. D'autres déesses primitives encore, avec Omeciuatl en Amérique centrale, Ilmatar en Finlande, Nammu à Sumer. Le Gange, fleuve de l'Inde, tient son nom de Ganga, déesse de la terre. Ishtar, la grande déesse babylonienne, était prétendue avoir un pouvoir absolu sur l'univers et sur toutes les créatures vivantes. En Égypte, la déesse Nut figurait l'univers entier. Elle accouchait du soleil et des étoiles, remplissant la double fonction de Mère de la Terre et de Déesse du Ciel. Un peu plus tard dans le cours de l'histoire, Gaea, correspondance grecque de la Mère-Terre, était la source de toute vie. Née du chaos, elle avait engendré la terre et les cieux.

Dans toutes ces cultures, la Déesse incarnait la sagesse, le pouvoir de guérison, le don de prophétie, la mort, la fertilité et la sexualité. La créativité humaine et l'amour étaient également sous son contrôle. La déesse égyptienne Neith était associée aux armes.

Les mythes des femmes dans leurs rôles de reines, de chasseuses, de guerrières, montrent bien que, outre leur fonction de prêtresses, elles tenaient dans les sociétés primitives une place prépondérante. Dans son essai «Le Livre de la Déesse : passé et présent», Anne L. Barstow explique le partage du pouvoir politique entre hommes et femmes du néolithique par le contrôle économique qu'exerçaient alors les femmes : tissage, poterie, agriculture, domestication des animaux. Elle cite à cet effet l'archéologue britannique James Mellaart qui avançait l'hypothèse selon laquelle les femmes avaient inventé l'agriculture, activité qu'elles contrôlaient, l'homme s'occupant principalement de la chasse. Les mythes primitifs semblent accréditer cette thèse, les déesses Déméter, Cérès et Isis étant traditionnellement tenues pour avoir enseigné l'agriculture aux humains. La plupart des historiens considèrent ces mythes comme une transcription légendaire de faits historiques réels. Le pouvoir magique de fertilité inhérent à la nature même de la femme la prédisposait en effet aux travaux agricoles, tandis que l'homme, plus rapide, plus résistant, était davantage disposé pour la chasse.

Selon Joseph Campbell («Le Pouvoir du mythe»), les sociétés matriarcales se sont désintégrées aux environs de 1750 avant J.C., bien que la transition vers le système patriarcal ait été amorcée des milliers d'années auparavant. Campbell attribue le déclin de la Déesse et l'essor de l'hégémonie masculine à deux découvertes capitales. D'une part, l'homme comprit qu'il jouait un rôle effectif dans la procréation, que la femme ne détenait pas seule le pouvoir de donner la vie. Cette découverte semble avoir été faite et divulguée par des tribus nomades. Il est intéressant de noter à ce sujet que chez les habitants de l'île de Trobriand, en Mélanésie, l'une des peuplades du globe les plus isolées culturellement, le rôle joué par l'homme dans la conception était encore ignoré au début du vingtième siècle.

Le second facteur essentiel est le passage de l'âge de la pierre à l'âge du fer. Le feu, jusqu'alors utilisé principalement pour lutter contre le froid, devint l'allié de l'homme pour fondre les métaux, les façonner en outils, en armes, créant ainsi une modification fondamentale de ses rapports avec la nature. L'extraction des minerais, la fusion et la fabrication d'objets représentent en effet une transformation essentielle de la nature par l'esprit et la volonté de l'homme. La toute-puissance de la femme, son statut même de représentante des pouvoirs naturels pouvaient désormais être remis en question par la communauté masculine. Cette période marque le début de l'ascension de l'homme aux commandes de la société, le déclin de la Déesse et l'asservissement progressif de la femme. Avec le développement de l'âge du fer et la venue de l'âge du bronze, les peuples ayant à leur disposition des armes en grand nombre donnèrent libre cours à leur agressivité. L'art de la guerre était en train de naître. Parallèlement à cela, la force physique de l'homme, en tant que guerrier et défenseur, fut investie d'un prestige et d'une importance croissants.

En même temps que cette sophistication et cette multiplication des armes, l'âge du fer et l'âge du bronze apportèrent à l'humanité la faculté de jugement et de discernement. L'homme appréhende le monde par la raison, cherchant à différencier et classifier ce qu'il perçoit. La femme, elle, aborde la réalité au travers de l'émotion et de l'intuition, cherchant au contraire à unir et mêler les choses. L'homme sépare pour agir, la femme unit pour harmoniser. Cette dérive graduelle de la conscience contribua à renforcer et soutenir l'essor du système patriarcal.

Avec l'avènement du patriarcat l'image de la femme-déesse commença ainsi à se modifier. Les déesses ne furent plus considérées comme les seules créatrices de l'univers, mais comme les partenaires des dieux mâles. La légende égyptienne, par exemple, nous parle de la déesse Tefnut venue au monde avec Re-Atum, le dieu soleil, unie à son ombre. Ensemble, ils créèrent la terre et le ciel. En Égypte toujours, Isis et Osiris étaient considérés égaux, tout comme Yahweh et Ashtoreth, les anciennes divinités hébraïques. Ces croyances sont le reflet d'une société où les femmes, bien qu'ayant perdu leur souveraineté, étaient encore hautement respectées. Trois mille ans avant J.C. le statut de celles-ci semble avoir été sensiblement égal à celui des hommes en Égypte. La famille royale dressait d'ailleurs sa généalogie non du côté du père mais du côté de la mère et le titre royal revenait généralement à la fille plutôt qu'au fils.

Les invasions furent un facteur déterminant dans la propagation du système patriarcal au profit du système matriarcal. En Mésopotamie par exemple, où Nammu (déesse de la mer et créatrice de la terre et du ciel) fut détrônée par An (dieu du ciel) après que les Babyloniens eurent envahi Sumer. Le même phénomène se produisit en Crète — foyer important de la culture matriarcale — qui, vers 1450 avant J.C., vit le déferlement des troupes mycéniennes venues de Grèce modifier profondément ses structures sociales. Les légendes des déesses crétoises furent peu à peu intégrées à celles de la Grèce patriarcale. Lorsque les Doriens envahirent à leur tour la Crète, imposant Zeus en tant que dieu suprême, le culte de la Déesse fut définitivement abandonné.

Tandis que s'affirmait le pouvoir des hommes, celui des déesses traditionnelles se transforma considérablement. En Grèce et à Rome par exemple, la Déesse perdit son aura de créatrice de l'univers pour jouer le rôle d'assistante et d'épouse du dieu mâle. Les légendes mettant en scène ces dieux mâles se répandirent au même rythme que s'accroissait le pouvoir politique et religieux des hommes. Gaea, Déesse de la création, fut ainsi peu à peu déchue de ses fonctions et remplacée par Zeus, le dieu du ciel importé par les Doriens. Les déesses secondaires telles que Héra, Athena et Aphrodite héritèrent des attributions spécifiques de Gaea, toutes trois d'ailleurs originellement considérées comme des aspects de la grande Déesse.

Des poètes comme Homère et Hésiode nous ont rapporté l'histoire de certaines de ces déesses supplantées par des dieux mâles. Les légendes populaires de cette époque attestent en outre le climat de peur et de suspicion éprouvé à l'égard de la communauté féminine. Sans doute désireux de consolider ses positions, le système patriarcal introduisit l'idée que la femme se définissait en fonction de ses rapports avec les hommes, c'est-à-dire en tant qu'épouse, mère ou fille. Une telle notion ne peut que mener à la dépendance et la servilité. Sans doute doit-on à cette période de l'histoire grecque l'origine de la trop fameuse « guerre des sexes »...

Les sociétés druidiques du nord de l'Europe possédaient également une puissante structure matriarcale et affichaient une grande homogénéité culturelle où les femmes étaient mêlées à la vie politique. Dans son livre « Les Druides : magiciens de l'ouest », Ward Rutherford avance le fait que les femmes prenaient souvent part aux combats, accédant même aux postes de commandement. La structure familiale reposait sur la filiation maternelle, les biens se transmettant par la mère et non par le père. La mythologie celtique fut elle aussi progressivement envahie et dominée par les dieux mâles incarnant la société guerrière d'alors. Brigid, l'ancienne déesse de la fertilité de l'Irlande celtique fut notamment remplacée par St. Bridget.

Cette transition du système matriarcal au système patriarcal s'opéra de façon particulièrement dramatique pour les Hébreux qui, à l'instar des sociétés agraires mésopotamiennes, vénéraient principalement leur grande Déesse-Mère. Le culte de la Déesse Ashtoreth était florissant entre 1150 et 500 avant J.C. Des fouilles archéologiques ont d'ailleurs démontré qu'en certains endroits, le temple dédié à Ashtoreth voisinait avec celui de Yahweh, le dieu mâle. Il fallut néanmoins plus de six siècles aux patriarches pour évincer Ashtoreth et imposer Yahweh comme Dieu unique.

Les femmes perdirent alors l'égalité des droits avec les hommes et durent se soumettre au père et à l'époux. L'institution de l'autorité paternelle absolue et indiscutable faisait bien sûr partie de cette montée du système patriarcal, mais participait également à la création d'un nouvel ordre social où le père se devait d'être fidèle et loyal envers une monarchie centrale plutôt qu'envers le clan.

Le principe de filiation maternelle représentait jadis un véritable défi pour les hommes qui recherchaient le pouvoir. En effet, puisque l'enfant appartenait à la mère, l'identité du père était de peu d'importance. Le système matriarcal donnait donc à la mère le pouvoir de décision et d'administration des biens matériels. L'unique façon pour les hommes de conquérir à la fois fortune et influence au sein de la famille consistait ainsi à instaurer un système dans lequel seule entrait en compte la filiation paternelle. Alimentée par les patriarches hébreux et la ferveur religieuse de l'époque, cette volonté de changer les choses aboutit à la création de nouvelles lois concernant les droits de propriété et les règles de filiation. Après des milliers d'années de domination matriarcale, les rôles étaient soudain renversés.

Il est cependant intéressant de noter que, malgré l'enracinement du système patriarcal, l'instruction des femmes juives demeurait importante, principalement afin qu'elles transmettent la tradition religieuse à leurs fils. Après que le christianisme se fut développé, les femmes furent peu à peu exclues des universités et des corporations professionnelles, leur rôle se bornant à mettre les enfants au monde, à travailler aux champs et tenir la maison.

Le système patriarcal apporta bien des changements dans les comportements humains et les coutumes. À l'opposé de la conception matriarcale du temps : qualitative, subjective et affective, le patriarcat quantifiait, mesurait et divisait. L'homme est naturellement enclin à ranger les idées en catégories, donnant ainsi une valeur primordiale aux concepts de lois et de hiérarchie. Le dieu patriarcal est un dieu du jugement et de la morale, contrairement à la Déesse qui représentait l'émotion et l'intuition. Les adorateurs modernes de la Déesse pensent que le matérialisme exacerbé d'aujourd'hui, le manque de foi, l'échec affectif et la méfiance face à l'intuition sont le résultat direct du système patriarcal dont nous avons autrefois hérité. En séparant la raison de l'émotion, il a en quelque sorte rompu le dialogue avec notre sphère émotionnelle.

Le développement du patriarcat, s'il impliquait la disparition de la Déesse, eut également pour effet d'étouffer notre féminité intérieure. Le système matriarcal avait représenté l'extrême du pouvoir de la féminité en assujettissant le mâle. En réaction, ce dernier s'était brusquement révolté, devenant l'agressif et brutal système patriarcal à la virilité exacerbée oppressant à son tour le principe féminin.

Cependant, malgré les efforts déployés pour détruire la Déesse au cours de ces derniers millénaires, celle-ci ne s'est jamais tout à fait éteinte. Elle est passée, pourrait-on dire, dans la clandestinité, se réfugiant dans notre inconscient où elle provoque toutes sortes de dommages afin d'attirer notre attention. Comme je l'ai déjà montré, l'unité et la plénitude ne peuvent être réalisées sans qu'il y ait alliance entre les deux principes mâle et femelle constituant notre nature. Que l'un ou l'autre viennent à être opprimés et c'est le chaos affectif. Tout en conservant les qualités propres au dieu masculin, nous devons effectuer un retour vers la Déesse, vers ses qualités intuitives et sensitives.

La sexualité dans l'Antiquité

L'histoire n'a pas débuté avec les anciens Grecs ou les Hébreux, mais notre connaissance des peuples antérieurs est très incomplète. Bien que l'existence des continents perdus d'Atlantis et de Lémurie n'ait pas encore été reconnue par la communauté scientifique internationale, ces cultures disparues sont le sujet de bien des légendes de par le monde et sont amplement discutées dans la littérature métaphysique. Mes propres recherches sur le sujet m'ont amenée à penser que l'étude approfondie de ces légendes pouvait nous aider à mieux comprendre notre situation présente en tant que race, et vers quoi nous nous dirigeons.

Chaque jour apporte son lot de découvertes remettant en question nos certitudes et nos croyances. La science est sans cesse contrainte d'élargir ses vues afin d'appréhender de nouveaux principes qui, s'ils ont toujours existé, n'avaient pas encore été reconnus et acceptés. Ainsi en va-t-il de l'histoire. Souvenons-nous... Il n'y a pas si longtemps, il était communément admis que le soleil tournait autour de la terre. Malgré sa réticence, la science a finalement dû finir par accepter des vérités qui nous semblent aujourd'hui des évidences. Nombreux sont ceux qui croient que notre connaissance actuelle du passé est loin d'être complète, qu'il nous reste bien des choses à comprendre et découvrir. Les archéologues continuent leurs recherches sur nos origines à travers l'étude d'objets façonnés, de plantes et d'ossements humains... Pourquoi ne pas espérer qu'un jour preuve soit faite que l'Atlantide et la Lémurie n'appartiennent pas seulement à la légende...

Mais ce qui nous intéresse ici c'est tout d'abord la signification de ce que symbolisent l'Atlantide et la Lémurie dans le schéma évolutif de l'homme. J'entends par ce terme de «schéma évolutif» le fait que l'humanité est née avec un certain devenir inscrit en elle, un objectif à atteindre – tout comme l'enfant porte dans son code génétique l'esquisse de l'adulte qu'il va devenir. La race humaine se développe par étapes progressives devant aboutir à une réalisation de sa destinée. Chaque individu est capable de percevoir ce schéma évolutif se manifester en lui-même au cours de sa vie comme il passe de l'enfance à l'adolescence, puis à l'âge adulte, enfin à la vieillesse.

Les métaphysiciens pensent que, de millénaire en millénaire, la race humaine traverse de semblables phases d'évolution, les civilisations successives représentant les différentes étapes de croissance. Notre époque actuelle, toujours selon les métaphysiciens, incarnerait l'adolescence de l'humanité. Elle se caractérise ainsi par le goût du romanesque, les idéaux élevés, la rébellion, le doute de soi, l'attrait de la nouveauté et des sensations fortes. L'adolescent est souvent impatient et intolérant. Il commet des erreurs mais celles-ci font partie de son initiation, elles le portent vers la maturité. Cette étape de notre évolution est à la fois inquiétante et passionnante.

Au seuil de l'âge adulte, l'humanité verra peu à peu ses objectifs se stabiliser et s'harmoniser grâce à davantage de tolérance et d'acceptation de l'autre. Dans nos rapports affectifs, nous serons moins égoïstes et plus compatissants.

Le célèbre voyant américain Edgar Cayce a fréquemment fait allusion à l'Atlantide et à la Lémurie comme prédécesseurs de notre actuelle civilisation aryenne. On trouve encore à ce sujet d'importantes informations ésotériques dans le livre de la célèbre théosophiste H.P. Blavatsky, «La Doctrine secrète», ainsi que dans l'œuvre d'Alice Bailey dont l'enseignement est le fruit d'une collaboration de trente années avec un lama tibétain, Djwhal Khul.

La Lémurie

La légende nous indique que le continent lémurien s'étendait là où se trouve maintenant l'océan Pacifique. Certaines parties de la Californie et de l'Australie, les îles Hawaï et l'île de Pâques (Rapa Nui) en seraient les endroits encore émergés. Toujours d'après la légende, la Lémurie aurait été détruite puis engloutie à la suite d'une série de formidables éruptions volcaniques survenues il y a de cela plusieurs millions d'années.

Blavatsky écrit dans «La Doctrine secrète» que la Lémurie «a maintenant entièrement disparu sous les eaux du Pacifique, laissant seulement émergés ici et là quelques sommets montagneux qui sont à présent des îles». Curieusement, nombre d'anciennes légendes du Pacifique racontent que certains archipels seraient les vestiges du continent de Kalu'a qui fut anéanti par des explosions et des raz-de-marée. Une légende hawaïenne spécifie clairement que la Terre-Mère repose au fond de l'Océan.

La migration de ces peuples chassés par les cataclysmes constitue une part essentielle des traditions de nombre de cultures primitives de par le monde. La légende du Grand Déluge, par exemple, est commune à l'ensemble de l'humanité. On la rencontre aussi bien à Babylone, que chez les Hébreux, les Chinois, les Mayas et les Toltèques.

Si l'on compare l'architecture des Incas à Machu Picchu et Cuzco et celle des anciens habitants de l'île de Pâques, on sera frappé de leur ressemblance. De même, on note d'étonnantes similarités culturelles et physiques entre certains peuples de la côte ouest d'Amérique du Sud, du Japon et du Tibet. Les vêtements de cérémonie et les masques des descendants des Incas et ceux des indigènes tibétains se ressemblent à s'y méprendre, bien que ces peuples habitent des régions particulièrement isolées et séparées par des milliers de kilomètres.

Diverses théories ont tenté d'expliquer ces correspondances, y compris celle postulant l'existence d'anciennes routes maritimes, mais la possibilité qu'un continent maintenant disparu ait autrefois relié l'Asie à l'Amérique du Sud reste la plus discutée... la plus controversée aussi.

Les habitants de la Lémurie, croit-on, vivaient en étroite relation avec la terre qu'ils vénéraient comme leur Mère. La race lémurienne faisait l'expérience du développement du corps humain en même temps que des instincts. Dans le schéma évolutionnel, ils en étaient à la phase de la première enfance. Comme le nourrisson, ils n'étaient pas encore capables d'utiliser toutes les possibilités de leur corps.

Pour nos lointains ancêtres, la Lémurie représentait le jardin d'Éden. À l'instar de la Polynésie d'aujourd'hui, la nature y était généreuse et luxuriante. Ils suivaient d'ailleurs son exemple en matière de sexualité. Les concepts de mal et de bien leur étant étrangers, les Lémuriens essayaient tout. Les impulsions sexuelles étaient hautement révérées, sans qu'il existât la moindre discrimination ou limitation dans ce domaine. À l'image de l'enfant qui explore ses organes génitaux avec la même innocence que ses pieds ou ses oreilles, l'humanité explorait sa sexualité comme faisant partie du monde physique.

Les bébés ont besoin des adultes pour prendre soin d'eux et les protéger. Selon la tradition métaphysique, du temps de la Lémurie les hommes étaient soutenus et guidés par des Maîtres d'autres races plus avancées, voire d'autres planètes. Il est d'ailleurs intéressant de noter que les peuples ayant aujourd'hui la sexualité la plus libérée sont ceux de Polynésie – considérée par certains comme le cœur du continent lémurien. Un exemple : jusqu'à ce que leur île soit colonisée par les Anglais, les Maoris de Nouvelle-Zélande (Aotearoa) permettaient une complète liberté sexuelle – pour l'homme et pour la femme – avant le mariage.

Les légendes nous apprennent que la civilisation lémurienne vivait sous le régime matriarcal, vouant un culte à la Mère fertile et multi-orgasmique. Les femmes choisissaient leurs partenaires, les hommes se montrant soumis et serviles. Pour l'enfant, la mère représente l'univers. La relation au père ne vient que plus tard.

L'Atlantide

Au cours de ces deux derniers millénaires, Atlantis a été placée dans la catégorie des civilisations mythiques, et cela bien que des sages de l'Antiquité en aient reconnu l'existence. La plus célèbre description d'Atlantis nous a été laissée par Platon dans les dialogues du «Critias» et du «Timée» où il parle de ce puissant empire qui disparut brusquement sous les eaux de l'océan Atlantique. Aristote contribua également à l'évocation du continent perdu en affirmant que les navigateurs phéniciens et carthaginois avaient connaissance d'une île immense située dans l'Atlantique occidental.

Un estimé linguiste, Charles Berlitz, rapporte dans son livre («Atlantis : le Huitième Continent») nombre de légendes mentionnant l'existence d'un continent atlantéen qu'un déluge engloutit il y a quelque douze mille ans. Outre la fameuse histoire de l'arche de Noé dans la Bible faisant allusion à ce déluge, Atlantis est restée dans les traditions européennes et africaines comme «la terre occidentale dans le grand océan». Les peuples précolombiens tels que les Aztèques la situaient dans la Mer Orientale et la nommaient Aztlàn.

Les peuples berbères d'Afrique du Nord possèdent leurs propres légendes sur Attala, un riche et belliqueux royaume autrefois situé au large de la côte africaine et maintenant recouvert par les eaux, mais qui réapparaîtra un jour. Les Gaulois, tout comme les Irlandais, les Écossais et les Celtes prétendaient que leurs ancêtres étaient venus d'un continent à présent noyé sous la Mer Occidentale. Ils appelaient cette terre Avalon. (Dans son roman, «Les Brumes d'Avalon», Marion Zimmer Bradley expose avec force détails cette version d'Atlantis.) Dans le sud de la France et le nord de l'Espagne, les Basques se disent les descendants d'un peuple ancien dont la terre a disparu sous les eaux : l'Atlaintika. Les Vikings, les Égyptiens, les Babyloniens et les Indiens évoquent tous – sensiblement dans les mêmes termes – un paradis occidental maintenant perdu.

La science moderne appuie clairement cette évidence anecdotique par l'étude géologique et océanographique qui montre l'existence de zones littorales englouties, de volcans sous-marins, de traces d'éruptions volcaniques. Les recherches entreprises aux États-Unis par l'Institut Océanographique et l'Observatoire Géographique de Lamont ont prouvé scientifiquement que d'importants bouleversements avaient bien eu lieu, modifiant la géographie de la terre. Ces recherches amènent les hommes de science à repousser sans cesse plus loin les origines de l'humanité. Autant de faits qui rendent plus que vraisemblable l'existence d'un ancien continent tel qu'Atlantis supposé avoir été détruit il y a environ douze mille ans, soit à la fin de la dernière période glaciaire. Sans doute certaines parties des côtes orientales des États-Unis et du Brésil, du Yucatan, de l'Europe et de l'Afrique occidentales constituent-elles les restes encore émergés du continent disparu.

Des ruines encore non identifiées par les savants sont étudiées de par le monde : en Amérique centrale, au Mexique, à Cuba, au Venezuela, aux Bahamas, en Espagne et dans les îles Canaries, au Maroc, au Portugal et aux Açores – toutes présentant entre elles de troublantes similitudes. Certaines sont d'ailleurs commentées dans le livre de Berlitz, « Atlantis : le Huitième Continent ». Bien que quantité d'hypothèses aient fleuri pour tenter d'expliquer l'origine de ces découvertes, certains pensent qu'elles pourraient fournir des preuves tangibles sur l'existence de l'Atlantide.

J'expliquais précédemment qu'en Lémurie le schéma évolutif humain en était à sa phase de « premier âge ». Atlantis symbolise l'étape suivante que l'on pourrait comparer – à l'échelle d'une vie humaine – à la montée vers la puberté, soit entre sept et quatorze ans. Dans le mythe, cette époque est décrite comme celle où nos ancêtres se socialisèrent et conçurent les premières notions d'égalité. La conscience de soi, la sensibilité et le désir semblent avoir été les dominantes de cette période. Selon la légende, les Atlantéens firent l'expérience de la beauté et de l'innocence, de l'émotion, de la vivacité à percevoir et découvrir.

Comme les Lémuriens, les Atlantéens bénéficièrent de l'appui et du conseil de Maîtres avancés. Possédant davantage d'indépendance et de liberté que leurs ancêtres, ils avaient tendance, plus qu'eux encore, à commettre des erreurs. Comme la plupart des enfants, ils jouèrent avec le feu et se brûlèrent. Il est dit que, lorsque Atlantis atteignit le faîte de sa grandeur, les Maîtres se retirèrent – ou du moins abandonnèrent leur apparence physique – laissant les Atlantéens livrés à eux-mêmes. Ils devaient maintenant prendre seuls leurs décisions, apprendre la discrimination et assumer la responsabilité de leurs actions. Ils conservèrent néanmoins le souvenir de ces Maîtres et Guides qui seraient appelés à se manifester à nouveau.

Contrairement à la Lémurie qui avait connu un régime matriarcal, Atlantis ouvrit le chemin du patriarcat. Les humains développant peu à peu leur nature émotionnelle, il devint possible d'intégrer l'amour et l'affection à leurs rapports. Alors que la sexualité des Lémuriens, à l'instar de celle des animaux, était fondée sur l'instinct, les Atlantéens commencèrent à distinguer et apprécier la diversité de leurs états émotionnels. Le pouvoir de contrôle sur leurs impulsions sexuelles motivé par les sentiments d'attraction et de répulsion fut l'une des étapes essentielles dans le schéma évolutif de ce temps.

Tandis qu'ils « s'humanisaient », nos ancêtres reconnurent le besoin de dompter et de canaliser leurs instincts primaires. Opérant une différenciation des qualités et fonctions propres aux deux sexes, ils assignèrent à l'un et à l'autre les rôles leur convenant au mieux. Quoique le culte de la Terre-Mère – donc la vénération de la femme – continuât d'être prépondérant jusqu'à la fin du cycle atlantéen, l'influence de l'homme s'accrut sensiblement. Selon Blavatsky (« La Doctrine secrète »), à son apogée, la civilisation altantéenne avait accordé à l'homme une égalité de droits avec l'autre sexe pour tout ce qui concernait le monde extérieur, la femme conservant son ascendant sur le monde intérieur.

La civilisation aryenne

Si l'on en croit la tradition ésotérique, nous appartenons à la race aryenne dont la destruction d'Atlantis marque l'entrée en scène. Ces derniers dix mille ans représentent notre adolescence dans le schéma évolutif de l'espèce, avec tout ce que cela implique de maladresse, de turbulence et de créativité. La période aryenne inclut l'histoire écrite s'ajoutant et se mêlant à la légende. Elle se distingue notamment par le développement de l'intellect et l'accession au pouvoir des qualités spécifiquement masculines : science des classifications et structuration logique du monde. Cette époque de suprématie masculine nous a permis –

après plusieurs milliers d'années de régime matriarcal – d'intégrer à notre conscience collective les éléments relatifs à l'Animus. La domination du «sexe fort» s'illustra dans la conquête de la terre (la Déesse) puis dans celle de la femme dont il prit la destinée en main, l'asservissant pour en faire sa propriété. Le système patriarcal s'épanouit en mettant l'emphase sur l'intellect, la différenciation et la discrimination.

La mythologie nous enseigne que les hommes ont de tout temps craint l'image de la Déesse et celle de la femme multi-orgasmique. Dans le but de contrôler cette dernière et de conquérir la puissante Déesse, il adopta comme idéal le principe de monogamie. Ceci lui permettait de maintenir son autorité en conservant sa liberté sexuelle et refrénant celle de la femme. L'intellect s'opposait à l'instinct, le séparatisme à l'unité, l'Animus à l'Anima.

Notre époque actuelle se distingue particulièrement par ses valeurs discriminatoires – positives et négatives, l'expansion des connaissances et les idéaux élevés. Sous bien des aspects, nous nous comportons en adolescents car, bien que nous ressentions le besoin d'avoir des modèles de rôles positifs, individuellement nous nous laissons aisément gagner par le doute de soi et l'autocritique excessive, nous montrant souvent intolérants à l'égard de ceux qui ne pensent pas ou n'agissent pas comme nous. Notre identité personnelle est si fragile qu'à la moindre alerte nous nous sentons menacés, attaqués dans notre intégrité. Pour ce qui est de notre sexualité, elle se manifeste malheureusement comme une force incontrôlée capable de nous entraîner vers notre perte.

Lorsque nous nous penchons sur nous-mêmes tout en prenant en considération le vaste contexte historique qui va de l'Égypte à Babylone, jusqu'à l'Atlantide et la Lémurie, il nous apparaît que l'espèce humaine s'apprête enfin à sortir de l'adolescence pour accéder à la maturité. Nous hésitons cependant. L'adolescent a l'esprit troublé, il est attiré par le monde adulte et ses privilèges. Mais saura-t-il prendre ses responsabilités ? Ne préfère-t-il pas en fin de compte le confort rassurant de l'immaturité ?

Une telle attitude indécise et « irresponsable » ne peut qu'entraîner le désordre et la confusion, instaurer un climat de violence, de répression et de dislocation. L'adolescent au seuil de l'âge adulte a besoin d'être guidé et conseillé afin de prendre ses responsabilités et de répondre de ses actes. Le récent intérêt de notre culture pour les religions orientales, l'ésotérisme et les phénomènes psychiques semble augurer d'une prise de conscience, d'une lucidité neuve grâce auxquelles nous serons à même de franchir les derniers obstacles nous séparant encore de la pleine maturité.

La tradition ésotérique se fonde sur les principes d'équilibre, de responsabilité et de croissance positive. Elle conçoit l'univers comme un Tout, une Entité Suprême alimentée par l'énergie de l'amour que symbolisent les lois de la création et de l'attraction. L'union sexuelle représente la plus spontanée, la plus évidente et la plus physique expression de cet équilibre. Plus que toute autre émotion, l'amour est une force extrêmement motivante et stimulante.

L'amour et les rapports amoureux nous aideront à accomplir le passage au plan supérieur de notre schéma évolutif. Dans nombre d'anciennes civilisations, *eros,* l'énergie sexuelle brute, perpétuait la race, rien de plus. Les mariages étaient bien souvent arrangés par les familles pour des raisons purement économiques ou politiques et l'amour n'entrait presque jamais en ligne de compte. L'époque grecque vit apparaître le concept d'*agapê,* l'amour universel et impersonnel. Avec le Moyen Âge, les troubadours répandirent l'idéal chevaleresque et l'amour courtois comme moyens de s'élever jusqu'à Dieu. Attirés par la « psychologie » de l'amour, ils chantèrent le désir, la tristesse, la langueur, le bonheur d'être aimé par l'élue de son cœur. C'est à cette époque, aux environs du douzième siècle que naquit la notion d'amour romantique.

Choisir le compagnon parfait avec qui réaliser une

véritable union spirituelle requérait une certaine faculté de discrimination sans laquelle on risquait de courir à l'échec. Nul doute que l'art de courtiser les femmes et les sérénades amoureuses quasi rituelles inaugurés pendant l'époque de la Renaissance étaient avant tout destinés à servir cette discrimination et distinguer les « affinités électives » des « liaisons dangereuses ».

À la lueur de tout ce qui vient d'être dit — après avoir survolé les continents lémurien et atlantéen et assisté à la naissance de la conscience — chacun sera en mesure de comprendre à quel point il est essentiel de faire s'unir le principe féminin (incarnant la matière, la réceptivité, l'intuition et l'émotion) et le principe masculin (incarnant l'esprit, l'action, la raison, l'autorité), de parvenir à un juste équilibre de ces deux énergies, non pas de les opposer mais de les associer. Par cette union, nous parviendrons à une authentique compréhension de ce que représente notre destinée dans le schéma évolutif et spirituel de l'humanité.

DEUXIÈME PARTIE

L'AMOUR ET L'ATTRACTION MAGNÉTIQUE

4

La face cachée

Lorsque Christina rencontra Burt pour la première fois à une soirée, elle fut immédiatement séduite. Il était grand, les cheveux bruns ondulés, des yeux bleus, une fossette au menton. Christina adorait son sourire, sa façon de se vêtir – il portait un élégant costume de coupe italienne mettant en valeur ses larges épaules. Par sa prestance et sa façon de s'exprimer, elle pensa qu'il avait dû être éduqué dans une école privée, en Europe peut-être. Avant même qu'elle ait pris la décision d'aller se présenter à lui, elle sut que Burt – à condition qu'il fût célibataire – serait quelqu'un de passionnant à fréquenter.

Lors de nos entretiens, j'ai attiré l'attention de Christina sur l'importance exagérée que nous accordions à l'apparence extérieure : le physique, la façon de s'habiller, la profession et le montant du bulletin de paie, le quartier de résidence, le type d'éducation reçu, le milieu familial et les convictions religieuses.

Il y a cependant – et heureusement – bien des facteurs cachés qui poussent deux êtres l'un vers l'autre. Dans une société qui se préoccupe davantage de la forme que du fond, nous oublions que ces aspects cachés sont en fait déterminants quant à nos choix et nos préférences dans notre vie affective, souvent plus essentiels que les goûts partagés, les repères culturels ou même la compatibilité sexuelle.

Dans ce chapitre, je me pencherai spécifiquement sur la nature ésotérique des rapports humains. Les civilisations évoquées précédemment, par exemple, fournissaient au peuple une éducation civique et religieuse «exotérique», c'est-à-dire extérieure. Parallèlement à cet enseignement populaire existaient d'autres lois, d'autres concepts destinés à une élite et appelés «ésotériques», c'est-à-dire intérieurs.

Les personnes choisies pour recevoir l'enseignement ésotérique devaient respecter certaines règles très strictes, car cette sagesse, si elle est source de pouvoir, peut se révéler particulièrement dangereuse et nocive lorsqu'elle est entre de mauvaises mains. Néanmoins, de nos jours le savoir ésotérique est bien moins secret qu'il ne l'était autrefois. Des techniques telles que les chants sacrés (mantras), la visualisation créative et les méthodes de guérison par l'esprit sont des exemples d'anciens ésotérismes maintenant à la portée de tous.

Les légendes sur les civilisations atlantéennes et lémuriennes rapportent que des Maîtres spirituels physiquement incarnés étaient présents pour guider les hommes. À l'exception de la brève présence de personnages tels que Jésus et le Gautama Bouddha, nous sommes séparés de nos Maîtres durant la période actuelle de notre évolution et ne disposons que des témoignages de leurs enseignements pour nous guider et nous inspirer. La majorité de ceux-ci sont cependant de nature exotérique : la Bible et le Coran, par exemple, de même que les rituels des autres religions organisées.

Bien que l'exotérisme paraisse satisfaire la plupart des gens, un nombre croissant de personnes – aux États-Unis et en Europe notamment – revendiquent l'accès à de plus profondes vérités sur le sens de la vie. Cette demande se reflète dans l'intérêt de plus en plus marqué pour la méditation, le yoga, le chamanisme.

Afin de mieux comprendre le rôle que joue l'union sexuelle dans l'accomplissement de notre vie spirituelle, il est crucial d'avoir une vue plus éclairée sur ce que nous sommes vraiment au stade actuel de notre évolution. La sexualité est davantage qu'un véhicule pour la procréation ou le plaisir immédiat. Par l'analyse et la compréhension des connaissances ésotériques aujourd'hui disponibles, nous prenons véritablement conscience de notre mission sur terre et des objectifs à atteindre.

L'un des préceptes essentiels de la littérature ésotérique affirme que chacun de nous est un «dieu en puissance». En d'autres termes, cela signifie que nous avons en nous un formidable réservoir d'énergie et de ressources inexploitées nous permettant de devenir – non pas l'égal de Dieu, bien sûr, mais à son image – conscient et responsable de notre pouvoir créateur. Nous pouvons devenir des «dieux» bien que Dieu lui-même – le Grand Esprit – demeure ce à quoi nous aspirons. En stimulant notre volonté d'apprendre, de croître et d'aimer, nous éveillons en nous les qualités divines de sagesse, de créativité et d'amour. Pour peu que nous soyons sincères et assidus, notre aptitude en ces domaines est illimitée.

Une autre révélation de l'ésotérisme : nous vivons dans un univers en expansion constante, un univers positif et fondamentalement bon dont nous sommes une part importante. Ce concept peut surprendre ceux qui, regardant autour d'eux, ne voient que cruauté, stagnation et défiance. Il est vrai que bien des individus n'ont pour seul but que de faire leur chemin, prêts pour cela à tirer profit des autres sans souci du mal qu'ils peuvent causer. Il suffit de tourner le bouton du téléviseur pour constater que le monde est en proie à la violence, la corruption et l'immoralité. Un monde que nous, êtres humains, avons pourtant créé.

Cependant, qu'une catastrophe se produise et nous voyons les victimes s'entraider, se mettre parfois en péril pour sauver une vie, travailler ensemble à la reconstruction de leur monde. Il en a été ainsi de tout temps. Dans les circonstances les plus tragiques et les plus douloureuses, l'homme fait preuve d'un amour et d'une compassion admirables pour ses congénères. Il semble oublier qui il est en tant qu'individu, regardant les autres comme ses frères et sœurs humains. Poussé par les nécessités extérieures, il en appelle en fait à ses ressources intérieures d'amour, de sagesse et de solidarité. Il traite les autres avec compassion et générosité parce qu'il comprend alors que nous sommes tous Un. Le mahatma Gandhi écrivait : «C'est la loi de l'amour qui dirige l'humanité. Si la violence et la haine nous avaient gouvernés nous serions depuis longtemps une race éteinte.»

La vie quotidienne et sa routine ont tendance malheureusement à nous éloigner de cette vérité intérieure, un peu comme si nous restions à la périphérie de nous-même. Pour cette raison, les mystiques ont de tout temps insisté sur le fait qu'il était nécessaire de maintenir le contact avec notre être intérieur au moyen de la méditation et de la contemplation. En apprenant à équilibrer vie intérieure et vie extérieure, nous opérons une réunification de notre personnalité, créant ainsi un milieu stable sur lequel pourra s'établir une authentique relation d'amour avec notre partenaire, puis avec le monde dans sa totalité. Plutôt que de nous laisser aveugler par le manque d'harmonie et la terreur apparents, soyons les agents de l'équilibre et de la croissance positive. Le choix nous appartient.

Au titre de cocréateurs de l'univers – «dieux en puissance» –, ce que nous observons autour de nous est le produit de nos pensées créatives. Ce sont ces pensées créatives qui entraînent l'action. Autrement dit, ce monde actuel d'échecs affectifs, d'instabilité, de misère et de crime est la création de pensées imparfaites. Nous pouvons le changer en commençant par changer notre conscience.

Si nous acceptons la réalité de l'évolution au sein d'un univers positif, nous accepterons du même coup notre imperfection comme une étape transitoire nécessaire. Ce qui ne veut pas dire bien entendu qu'il faille subir sans intervenir. Au contraire, par des méthodes telles que la *visualisation créative* et la *pensée positive* nous sommes en mesure de lutter efficacement contre les aspects négatifs – pensées, attitudes – que nos actions passées ont créés, transformant ainsi progressivement les anciens schémas et insufflant une nouvelle vitalité dans nos rapports avec le monde.

Le corps humain

Comme nous avançons de l'adolescence vers l'âge adulte, nous commençons à nous percevoir nous-même de manière plus approfondie. L'enfant ne perçoit que son corps physique et demande qu'on satisfasse ses exigences naturelles. Notre «être» est cependant autre chose qu'un simple organisme réclamant à manger et à boire, réclamant sa part d'affection et d'attention...

L'enseignement ésotérique de l'Inde ancienne, tout d'abord introduit en Occident par les théosophistes modernes, nous révèle l'existence de sept «corps vitaux», le corps physique étant le plus dense et le plus manifestement perceptible. La connaissance – et la reconnaissance – de cette «anatomie occulte» peut nous aider à mieux saisir quelles sont véritablement nos limites et nos possibilités.

Ces sept corps devraient travailler en complète harmonie les uns avec les autres, mais il arrive souvent que l'un d'entre eux soit en déséquilibre et affecte la balance des forces. En cas d'extrême déséquilibre, toutes sortes de troubles – physiques, émotionnels ou mentaux – risqueront alors de se manifester. Selon la tradition ésotérique, nous ne serons des êtres complets qu'après avoir reconnu le potentiel humain global regroupant les quatre niveaux de conscience : physique, émotionnel, mental et spirituel.

Le corps physique

Il est visible et palpable, composé de matières liquides, solides et gazeuses. C'est grâce à lui que nous nous exprimons dans le monde matériel. La tradition ésotérique le considère comme le plus dense et le plus massif outil pour l'action et la prise de conscience.

Le corps physique est notre habitat sur terre. Il a été conçu pour nous servir notre vie durant et possède une intelligence innée pour assurer sa préservation. On le compare avec le stade infantile de notre développement, lorsque le « je » prédomine et que les besoins nécessaires à la survie sont souverains.

Le corps physique requiert une grande attention. Outre le fait de devoir le maintenir en bonne santé par l'exercice, la diététique et le repos, nous investissons également en lui une grande énergie émotionnelle. En effet, parce qu'il est l'image de nous-même que nous présentons au monde, nous le voulons aussi séduisant que possible. En plus des règles élémentaires d'hygiène, nous avons recours à la mode, aux soins esthétiques et parfois même à la chirurgie plastique pour flatter notre apparence.

Les corps astraux

Le second corps est le *corps astral inférieur.* À l'image des autres corps subtils imperceptibles à l'œil nu, l'astral inférieur traverse et entoure le corps physique en épousant ses contours. C'est le corps de l'instinct et de l'intuition. Sous son aspect positif, il donne des solutions instinctuelles aux questions de survie et de bien-être général. L'insatisfaction, la cupidité et l'avarice sont ses manifestations négatives.

Le *corps astral supérieur,* ou troisième corps, est celui de l'émotion, de l'amour en tant que force d'attraction. On peut le comparer au passage de l'enfance à l'adolescence – expérience du premier amour. Au stade actuel de notre évolution, l'homme s'identifie principalement avec le corps astral, domaine du bonheur, de l'affection, mais aussi de la colère et de la jalousie. La religion chrétienne a fréquemment insisté sur la nécessité de réprimer nos émotions. Pourtant, lorsqu'elles sont correctement canalisées, celles-ci peuvent stimuler nos élans pour de grandes causes et de nobles idéaux. L'indignation, la compassion, l'amour jouent bien souvent le rôle de catalyseurs dans notre volonté de changer le monde et de nous changer nous-mêmes. La psychologie a d'ailleurs démontré l'effet pernicieux du processus de refoulement des émotions. Sans elles, nous ne serions que des machines.

Le corps astral supérieur est parfois perceptible pour les personnes douées de clairvoyance. Il apparaît sous la forme d'une aura multicolore entourant le corps dont l'intensité et la taille varient en fonction de l'individu. Cette aura est l'émanation du principe subtil du corps humain, la manifestation de son champ de forces. Les sentiments hautement énergétiques tels que la joie et l'amour l'éclairent d'une vive luminosité tandis que la confusion et la colère – sentiments négatifs – affaiblissent et obscurcissent son éclat. La couleur orange correspond à la fierté ; le jaune à l'intellect ; le bleu à la dévotion ; le vert à la compassion ; le violet à l'affection, la sincérité ; le rouge à la colère ; le gris à la peur ; le noir à la malice, la ruse ; le brun à l'égoïsme et l'intolérance.

Les corps mentaux

Le quatrième corps – le *corps mental inférieur* – se rapporte à la pensée, à la faculté de discrimination et de sélection. Nous faisons appel à lui pour identifier, comparer, évaluer et nous remémorer des éléments d'information. Il est une sorte d'ordinateur central toujours à notre disposition. Notre conscience morale et sociale nous vient également de lui. Il peut se comparer à cette phase déterminante où l'adolescent acquiert la conscience de soi, s'identifie par rapport au monde et recherche la compagnie de ceux avec qui il se sent des affinités.

Le *corps mental supérieur* – ou cinquième corps – est celui de l'intellect pur. Il organise nos pensées et concepts abstraits, développe la pensée religieuse et favorise le génie inventif, par exemple dans les domaines de la recherche fondamentale. C'est lui qui nous incite à étendre le champ de notre conscience afin de parvenir à une meilleure compréhension de la vie et de l'univers. Il nous met en contact avec le royaume des idées, mais surtout, nous donne le pouvoir de les intégrer à notre être conscient. Sur le plan de l'évolution humaine, il correspond à l'âge adulte avec la prise de responsabilités que celui-ci implique.

À la différence des corps astraux qui traitent des émotions, les corps mentaux, eux, nous aident à assimiler les résultats de nos expériences. Leur rôle essentiel consiste à guider notre nature émotionnelle et notre nature physique vers une connaissance objective de la réalité.

Les corps spirituels

Le *corps spirituel inférieur* – ou sixième corps – est celui de l'esprit, là où résident les qualités d'âme nous appartenant en propre. Il ouvre la voie de l'extase spirituelle, de l'union avec Dieu et l'univers. La personne douée de clairvoyance le perçoit – à condition qu'il ait atteint son épanouissement – comme un œuf de lumière or et argent entourant le corps physique. On le compare à un homme sage, maître de ses passions.

Le septième corps est le *corps spirituel supérieur,* véhicule de la perfection et de la plénitude. À son stade de plus haut développement, il représente l'avatar, le prophète, tels Jésus-Christ, Mahomet et Bouddha.

L'équilibre dans l'unité

Chacun d'entre nous possède ces corps de lumière qui, à eux tous, composent l'aura. Seul le corps physique est visible à l'œil nu. Néanmoins, les autres corps peuvent être perçus soit par certains procédés photographiques complexes, soit par le développement de l'intuition et de la vision clairvoyante. En tout état de cause, leur influence sur notre vie, sur nos rapports avec les autres et sur nos affinités en général, est la preuve irréfutable de leur existence.

Nous savons par exemple que les pensées existent, mais nous sommes incapables de les voir. Seule notre expérience nous dit qu'elles existent. Nous savons également que le pouvoir de la pensée, de par sa capacité à nous lancer dans l'action, agit sans cesse sur les circonstances extérieures. Ce même pouvoir de la pensée, grâce aux méthodes de visualisation positive, est en outre capable de restaurer notre santé psychique ou physique. Des recherches en parapsychologie menées simultanément aux États-Unis et en Union soviétique ont récemment démontré le réel pouvoir de certaines personnes à transmettre leurs pensées sur plusieurs milliers de kilomètres de distance, et même d'intervenir directement dans des opérations informatiques.

Nous savons encore quel pouvoir formidable détiennent nos émotions, même si, là encore, l'œil est bien incapable de voir quoi que ce soit. De violents sentiments de colère ou de haine peuvent causer plus de dommages – physiques ou émotionnels – qu'une gifle ou un coup de poing. Par opposition, des sentiments d'amour et de compassion prodigués à l'attention d'une personne malade l'aideront sans doute à mieux résister au mal en lui redonnant de sa vitalité perdue. Les spécialistes traitant des phénomènes psychosomatiques savent très bien que les émotions refoulées entraînent parfois des états pathologiques sérieux tels qu'ulcères, colites, et même certaines maladies cardiaques.

Lorsque quelque chose nous trouble ou nous bouleverse par exemple, les besoins et désirs du corps astral inférieur, échappant au contrôle du corps mental inférieur, peuvent nous mener à opérer une razzia dans le réfrigérateur et consommer bien plus de nourriture que nécessaire. Ou bien encore, que notre corps mental inférieur ne soit pas correctement équilibré par nos besoins physiques et notre vie sexuelle se réduira à de purs fantasmes. Si les pensées du mental supérieur ne sont pas prises en charge par la compassion active de l'astral supérieur, nous serons alors coupés de nos émotions et enclins au fanatisme et à l'insensibilité dans nos actes. À la lueur de tout ceci, il est clair que nous devons non seulement développer nos différents corps mais également les faire travailler en harmonie les uns avec les autres. Notre équilibre général en dépend, ainsi que la qualité de notre vie sentimentale.

Les chakras

Chacun de nos sept corps possède un canal particulier à travers lequel il reçoit les messages des six autres et leur transmet ses propres informations. Dans les traditions hindouiste et bouddhiste, chaque centre d'énergie est appelé un *chakra* (en sanskrit : roue). L'être humain est pourvu de sept chakras majeurs correspondant aux sept glandes ou organes faisant partie du système d'échange évoqué ci-dessus.

Lorsqu'un chakra est ouvert, ou bien il transmet de l'énergie ou bien il en reçoit. Le type d'énergie reçue ou transmise correspond aux qualités représentées par ce chakra. Si celui-ci est fermé ou bloqué, l'individu est privé de l'énergie spécifique qu'il apporte. En prenant conscience du fonctionnement de ces chakras et de leur emplacement exact, nous pouvons mieux comprendre les facteurs souvent cachés influant sur notre émotivité et notre façon de penser. Mieux comprendre également la nature de nos rapports avec la société. Par un travail patient et assidu, il est possible d'ouvrir peu à peu nos centres d'énergie, de parvenir à une profonde et durable harmonie dans notre vie.

Le *chakra-racine* est situé à la base de la colonne

vertébrale. Il se rapporte directement à l'énergie physique, à notre volonté de vivre. Il est le siège de la *Kundalini* – ou *serpent de feu* – courant énergétique extrêmement puissant qui irrigue et stimule tous les autres chakras. La Kundalini est le feu vital, source de toute passion, de tout élan créatif. Lorsqu'elle circule librement à partir du chakra-racine dans tout notre corps, nous avons un contact harmonieux avec la réalité physique, une ferme assurance en nos moyens et nos possibilités. Que le chakra-racine soit par contre empêché dans son fonctionnement et notre élan vital sera considérablement affaibli, notre impact sur le monde certainement bien en dessous de nos moyens réels.

Le *chakra sacral* est situé à hauteur du nombril. Relié aux glandes sexuelles, il régule la qualité et la quantité de notre énergie sexuelle. Lorsqu'il est ouvert, il génère en nous de fortes pulsions et un grand désir d'union intime avec l'autre. Lorsque ce chakra est bloqué par des problèmes émotionnels ou un comportement négatif, notre vie sexuelle sombre dans la torpeur, l'acte lui-même ne nous procurant plus l'excitation physique nécessaire à sa réalisation. Les femmes dont le chakra sacral est fermé se trouvent incapables d'atteindre l'orgasme et éprouvent souvent la pénétration comme une sensation douloureuse. Les hommes risquent l'impuissance chronique, l'éjaculation précoce ou désintérêt pur et simple pour l'acte sexuel.

Le troisième centre d'énergie, le *chakra du plexus solaire,* est situé dans la région du diaphragme. Il gouverne les sentiments et est étroitement lié à l'émotivité. Dans certains cas, un blocage à ce niveau peut couper le flot d'énergie circulant entre le chakra sacral et le chakra du cœur. Si cela arrive, l'acte sexuel n'est plus en liaison avec le sentiment amoureux et l'amour devient asexué. Le chakra du plexus solaire est également celui de la perception instinctuelle.

Le quatrième chakra, le *chakra du cœur,* se situe au

centre de la poitrine, à proximité de la glande du thymus. C'est grâce à lui que nous avons le pouvoir d'aimer et de déceler la beauté intérieure de ceux qui nous entourent. De son degré d'ouverture dépend l'intensité de l'amour que nous portons à nos partenaires amoureux, à nos parents, à nos enfants, à nos amis. Ce chakra est bien sûr le siège de notre vie sentimentale, mais aussi de la générosité et de la compassion. En ce sens, il représente sans doute le centre d'énergie qu'il est le plus important de développer au stade actuel de notre évolution.

Le cinquième chakra, le *chakra de la gorge,* est situé près de la glande thyroïdienne. Sa fonction consiste essentiellement à recevoir des informations du monde extérieur. Il est en quelque sorte notre oreille psychique. Si notre vision du monde est positive, il nourrit notre esprit et l'enrichit; si elle est négative l'énergie transmise sera proportionnellement négative. Lorsque ce chakra est fermé, nous éprouvons une grande difficulté à emmagasiner de nouvelles informations et des points de vue différents du nôtre. La gorge est aussi un centre d'énergie pour la créativité. Car les mots que nous prononçons constituent une partie de notre expérience et ont un réel pouvoir créateur selon leur superficialité ou leur profondeur.

Le sixième chakra, le *chakra des sourcils,* est localisé sur le front, entre les yeux. Parce qu'il est généralement lié aux phénomènes de clairvoyance, on l'appelle aussi le « troisième œil ». C'est par son intermédiaire que nous sommes capables de visualiser et d'appréhender les concepts intellectuels et spirituels. S'il est fermé ou affaibli, l'individu se sentira en proie à la confusion et entretiendra dans son esprit de fausses images sur la réalité des choses. Certains clairvoyants et guérisseurs holistiques pensent que l'utilisation prolongée de drogues affecte le fonctionnement de ce chakra de façon très négative.

Le septième et le plus puissant de nos centres d'énergie est le *chakra-couronne* situé au sommet de la tête. Son développement aboutit à l'état de perfection de toutes nos facultés et nous élève à un plan d'existence supérieur. Le chakra-couronne symbolise le contact avec le monde spirituel, l'intégration totale de l'être au cosmos. Seuls les maîtres spirituels et les sages parviennent à un tel accomplissement. Pour tout individu, il représente cependant l'organe de liaison avec l'âme, le contact avec sa nature spirituelle. La fontanelle de l'enfant qui se durcit peu à peu au cours de la première année de vie est une illustration frappante du chakra-couronne.

Les centres d'énergie et le pouvoir du serpent

C'est la force créatrice de l'univers – la Kundalini ou « feu de la passion » – qui donne pouvoir de vie aux centres d'énergie décrits ci-dessus. Parmi tous les éléments, le feu est celui qui symbolise la transformation par sa capacité à fondre et façonner les formes matérielles. Par le feu, la matière se transforme en cendres et en énergie. Cette énergie délivrée par le feu continue d'exister à travers de nouvelles manifestations. À l'intérieur de notre propre corps nous transformons continuellement l'énergie universelle pour l'utiliser de mille et une manières. Nous la consommons non seulement pour nous maintenir en vie mais également pour manger, pour marcher dans la rue, pour peindre, pour travailler, pour guérir, pour méditer, pour faire l'amour. C'est la raison pour laquelle la métaphysique affirme que la Kundalini est un élément magique possédant le précieux pouvoir de transformation.

La Kundalini est aussi appelée le « serpent de feu ». On la décrit souvent dans la littérature ésotérique sous les traits d'un serpent endormi lové à la base de la moelle épinière de l'homme, siège du chakra-racine. Le serpent est bien sûr associé à la transformation pour son pouvoir de se renouveler lui-même par une mue complète. Mais il symbolise également, par sa piqûre parfois mortelle, le « passeur » pour l'autre monde, la mort étant alors l'ultime transformation.

Nombre de rites anciens (essentiellement dans la tradition tantrique) célébraient l'éveil du serpent et son ascension successive des chakras : c'est la montée de la libido, la manifestation renouvelée de la vie, puis l'ouverture des centres spirituels situés dans la tête. Lorsque la Kundalini, au cours de notre évolution, opère une percée à travers les chakras supérieurs, nous entrons dans un nouvel état de conscience. Nous « mourons » et renaissons, chaque naissance marquant une transformation spirituelle.

Nos centres d'énergie sont en quelque sorte les notes musicales de notre développement. Enfant, seul le chakra-racine résonne en nous. Puis, au fur et à mesure de notre croissance, les chakras supérieurs sont alimentés en énergie. Nous devenons alors une mélodie, un chant célébrant l'union de l'homme avec le cosmos.

Les chakras doivent être éveillés et stimulés avec grande attention. Les artifices tels que l'usage de drogues hallucinogènes ou la pratique de certains types de yoga sans la gouverne d'un guide averti peuvent entraîner d'irréparables dommages. En effet, l'éveil prématuré de la Kundalini et son passage en force à travers les chakras peuvent libérer une trop soudaine et trop importante quantité d'énergie entraînant chez l'individu un grave déséquilibre physique et psychologique. Dans les cas extrêmes, une telle imprudence peut mener à la folie ou à la mort.

Il est donc essentiel de développer nos centres d'énergie en commençant par le chakra-racine, ceci afin d'avoir une solide fondation capable ensuite de supporter l'éveil à la conscience des autres chakras. En outre, il faudra toujours s'assurer qu'il y ait entre eux échange d'énergie, libre communication. Nous devons parvenir à un équilibre stable entre tous les chakras, équilibre sans lequel nos corps subtils ne sauraient atteindre leur plénitude d'expression.

En étudiant les centres d'énergie du corps, nous

arrivons à une profonde compréhension des mécanismes de chacun d'eux et sommes en mesure de nous interroger : «Où suis-je bloqué?» «Où suis-je sur-stimulé?» «Quelles sont les qualités que je dois développer afin de trouver l'harmonie intérieure?»

Outre la prise de conscience personnelle, cette analyse nous permettra également de mieux comprendre nos partenaires et la relation que nous entretenons avec eux. Nos centres d'énergie respectifs sont-ils en bonne synchronisation? Quelle est la faiblesse du couple? Quelle est sa force? Par une analyse approfondie de notre anatomie occulte, ou cachée, nous pouvons nous situer dans notre schéma évolutif individuel, et prendre conscience aussi du potentiel illimité dont nous disposons pour apprendre, évoluer et aimer au travers d'une relation de couple.

5

Séparation et réunion

Le désir de réaliser l'union amoureuse est commun à toute l'humanité. Il est une illustration de l'aspiration vers la spiritualité inscrite au plus profond de l'être, au cœur même de son âme. Ce chapitre va explorer les origines cachées de cet élan vers la plénitude, vers la totalité. Car ce désir n'aura une chance d'être satisfait que si nous reconnaissons la vérité profonde de notre nature.

Comme je l'ai expliqué plus tôt, l'univers est potentiellement Un, il est une Totalité en devenir. Pour permettre à l'unité de se réaliser il est ainsi en continuelle expansion.

Toutes les grandes religions nous enseignent que l'homme est la création de Dieu ou qu'il descend de lui, Dieu étant Grand Esprit, Source Universelle. Comme l'univers lui-même, notre identité divine est encore une potentialité. Nous sommes potentiellement complets et aspirons naturellement à une plus grande intégration, un accomplissement total de notre nature. Par l'expansion de la conscience et la révélation de notre capacité d'aimer, nous nous rapprochons sans cesse davantage de l'unité, c'est-à-dire de l'illumination spirituelle.

Notre plénitude potentielle est une qualité de l'âme. Or, la personnalité – ou la conscience humaine – n'est pas accomplie tant que le fusionnement avec l'âme n'a pas eu lieu. Pour la grande majorité des êtres humains existe une fracture entre la personnalité (la personne extérieure) et l'âme (l'essence spirituelle) qui forment une puissante dualité. Dans le cours de notre vie, nous cherchons ainsi l'union avec l'âme, avec l'étincelle divine au centre de nous-même.

Notre corps physique de chair et de sang, de par sa nature tridimensionnelle, nous impose certaines limites. Nous sommes par exemple soumis aux contraintes de l'espace et du temps. Impossible de se trouver au même moment en deux endroits à la fois. Impossible également d'échapper au vieillissement naturel, à la lente désintégration du véhicule physique que nous appelons le corps humain. Parallèlement à cela, notre élan vers l'unité est inné, impérissable, et en tant qu'êtres humains nous avons notre libre arbitre. Bien que nous soyons effectivement soumis aux lois du monde physique, nous avons le pouvoir et la liberté de choisir quelle direction donner à notre désir d'unité.

L'union à travers la sublimation

Nombre d'individus subliment ce désir par le travail. Ils sont en quelque sorte «mariés» à leur occupation professionnelle et s'imposent un rythme de travail effréné au sacrifice de leur relation avec leur femme (ou leur mari) et leurs enfants. Pour les hommes, le sport – la chasse, la pêche – représente souvent un substitut à une complète union avec une femme. Certains mystiques recherchent l'union spirituelle à travers l'étude et la méditation en renonçant à toute relation avec le sexe opposé.

Pour beaucoup, la sublimation sous ses formes différentes peut être une façon d'exprimer ce besoin d'unité qui est en chacun de nous. Si nous comprenons bien cela et apprenons à connaître le mécanisme de la sublimation, nous serons alors à même de faire des choix plus conscients et plus lucides. Jusqu'à quel point les processus de sublimation sont-ils appropriés ? Quand deviennent-ils de simples objets de substitution ? S'ils représentent parfois des alliés dans notre recherche de l'unité avec la personne de notre choix, ils peuvent également nous éloigner de l'objectif véritable. Il est vrai aussi que certaines personnes, à un moment déterminé de leur vie, ne sont pas prêtes à assumer une relation intime. Il est donc nécessaire d'examiner soigneusement les différents aspects de la sublimation...

Le narcissisme

Certaines personnes s'emploient à canaliser leur désir d'unité vers eux-mêmes et vers personne d'autre. Ils ne s'intéressent qu'à leur propre vie, à ses drames et ses joies, et n'entretiennent avec leur entourage que des relations morcelées et dénuées de véritable engagement. Il leur sera très difficile – voire impossible – de nouer une relation intime ou d'être sincèrement réceptif aux problèmes qui ne les concernent pas directement. En d'autres termes, le narcissique (puisque tel est le terme psychologique) ne cherche rien d'autre dans le miroir que son propre reflet.

Dans un monde où l'individualité et l'indépendance sont hautement mises en valeur, la plupart d'entre nous – Occidentaux – présentons des tendances narcissiques plus ou moins prononcées. Cet état de fait ne doit cependant pas être considéré comme entièrement négatif car il est naturel et salutaire d'être à l'écoute de soi-même, de se connaître, d'évaluer ses défauts et ses qualités. L'état narcissique commence à représenter un problème lorsqu'il nous sépare des autres et nous empêche d'avoir avec eux des relations profondes.

On a souvent cité l'exemple de la vie de Marilyn Monroe. À cause d'une enfance difficile, elle eut le plus grand mal par la suite à s'estimer elle-même et se considérer digne d'être aimée. Pour compenser ce manque affectif, elle se créa une image de femme-enfant, image qui séduisit un public innombrable et lui apporta la gloire.

Malgré son extraordinaire popularité, Marilyn retira peu de satisfactions de son talent et de sa beauté. Obligée jour après jour d'entretenir cette image d'un bonheur et d'un glamour qui n'existaient que sur le papier glacé, sa véritable personnalité, celle de Norma Jean Baker, devint de plus en plus floue.

Tout au long de sa courte vie, elle traversa une crise après l'autre. Ses mariages successifs ne furent que le reflet de l'implacable solitude qui la tenaillait. Ils ne lui apportèrent ni la sécurité ni l'estime de soi pourtant si ardemment désirées. Par sa carrière cinématographique même, Marilyn exprime ce désarroi face à l'existence. Ses rôles de ravissante blonde un peu idiote illustrent à nouveau son insécurité et son besoin d'amour. Comme la plupart des acteurs, elle savait qu'elle ne devait son succès qu'à sa beauté extérieure. Sa beauté intérieure qu'elle-même avait tant de mal à percevoir – trait typiquement narcissique –, le monde l'ignorait totalement. Bien que Marilyn fût sincèrement aimée et adulée par des millions de gens de par le monde, elle ne put se nourrir véritablement de cette formidable affection.

Aujourd'hui, à travers ce mythe de Marilyn et la tragédie de sa disparition, si chacun peut comprendre quel fut son mal de vivre et quel drame intérieur elle vécut, c'est qu'en fait les données du problème sont les mêmes pour tous. Avant de chercher la reconnaissance de notre valeur dans le regard des autres, nous devons la trouver en nous-même. L'estime de soi est indispensable pour que naisse un échange authentique et fructueux avec notre entourage.

La dualité : comment et pourquoi ?

On ne peut évoquer le désir d'unité sans tout d'abord comprendre et examiner cette fracture entre la personnalité et l'âme. Comment est-elle survenue ? Si l'univers entier tend vers l'unité, pourquoi existe-t-il un tel gouffre entre l'être et son âme ? Une fois que l'on a saisi la vérité profonde d'un univers créateur, cette dualité que nous vivons sur terre nous apparaît cependant tout à fait logique et comme allant de soi.

Selon la doctrine métaphysique (Alice Bailey et les théosophes modernes, par exemple), la fracture entre l'âme et la personnalité – aussi bien qu'entre les principes mâle et femelle – fait partie du schéma évolutif. Cette séparation a eu lieu afin que nous puissions faire l'expérience de ces deux principes et les comprendre pleinement. Nous serions ensuite en mesure d'œuvrer pour leur réunion et deviendrions alors seulement partenaires cocréateurs dans un univers de création permanente. Les mythes illustrent abondamment cette division originelle du Tout précédant l'apparition des deux sexes.

Nous désirons tous en savoir plus sur nous-même. Nous nous intéressons sans doute aux autres, mais il est vrai que lorsqu'une personne a quelque chose à nous dire sur nous-même, nous tendons particulièrement l'oreille. Les horoscopes publiés dans les magazines sont abondamment consultés, les cabinets des astrologues et autres voyants ne désemplissent pas. C'est bien le signe que nous cherchons des réponses aux éternelles questions : Qui suis-je ? D'où viens-je ? Où vais-je ? Un désir après tout justifié, car si nous ne nous connaissons pas nous-même comment pouvons-nous logiquement espérer connaître quelqu'un d'autre ?

La plupart d'entre nous ont du mal à identifier l'enregistrement de leur propre voix. La raison en est simple : c'est que la seule relation que nous ayons avec nous-même se fait au travers d'autres personnes. Eux n'auront aucune difficulté à reconnaître le son de notre voix. Ils nous voient (et nous entendent) comme nous sommes réellement. Nous avons besoin de ce reflet pour percevoir la totalité de nous-même, tout comme nous avons besoin d'un miroir pour voir à quoi nous ressemblons dans nos vêtements.

La personnalité étant donc séparée de l'âme, elle s'emploie à rétablir l'unité, c'est-à-dire l'état d'intégrité. Par inhérence, la dualité crée et entretient ce désir qui est aussi l'un des principes de base commun à toutes les religions. Dans sa quête de l'unité, la personnalité fait l'expérience du magnétisme et de l'attraction. Que ce soit consciemment ou inconsciemment, nous avons tendance à rechercher l'accouplement avec un partenaire qui soit en quelque sorte le reflet de nous-même. Plus il semble posséder de traits communs avec nous et plus nous serons satisfait. L'être aimé est généralement le seul dont on accepte les critiques. Parce que lui plus que tout autre devrait comprendre notre nature profonde, nous sommes prêt à entendre la vérité, prêt à le laisser nous dévoiler certains de nos aspects cachés qui, peut-être, nous empêchent de nous réaliser. Une partie de l'intérêt que nous portons à notre partenaire provient de ce besoin d'en savoir plus sur notre propre compte à travers les impressions et la compréhension qu'il a de nous.

Peu de personnes s'attardent dans une relation qui ne répond pas à leurs besoins, d'ordre sexuel, émotionnel, ou autres. Ces besoins peuvent être positifs et conscients, ou négatifs et inconscients. Prenons l'exemple d'un homme qui laisse sa femme constamment le dénigrer. Un tel rapport au premier regard apparaît négatif. Il maintient cependant cette relation parce que cette forme d'interaction peut représenter pour lui une façon d'apprendre à se faire respecter, à défendre ses idées et ses opinions. Ici, l'homme n'a pas suffisamment de respect pour sa masculinité. Il a abandonné le pouvoir au principe féminin. Sa femme est sans doute le véhicule dont il a besoin pour finalement dévoiler la vraie nature de ce comportement inconscient. La relation, bien que douloureuse, aboutira éventuellement à restaurer chez cet homme l'équilibre masculin-féminin.

Même lorsqu'une situation apparaît pour un observateur extérieur n'être nullement bénéfique aux deux partenaires, il y a souvent une justification profonde à cet état de choses. L'âme ne choisit pas toujours le chemin le plus aisé vers la connaissance. Certaines épreuves telles que la frustration sexuelle, les difficultés financières, sont parfois nécessaires avant qu'une personne soit en mesure de prendre conscience de son problème.

Bien des gens s'éternisent dans des situations difficiles parce qu'ils sont dans un état de refus permanent : refus de voir la réalité des choses (« Peut-être que ma femme sort avec d'autres hommes, mais elle ne fait rien de mal avec eux ; elle m'aime. »), ou refus d'assumer sa part de responsabilité dans un problème (« S'il boit, c'est à cause de son travail, pas à cause de notre mariage. »). Dans de tels cas, ou bien la situation finit par évoluer ou bien l'un des partenaires prend la résolution de partir. Les deux aspects de l'alternative marquent de toute manière une prise de conscience.

J'ai mentionné précédemment le fait qu'on ne peut se développer spirituellement uniquement en suivant l'enseignement théorique d'un guide spirituel, car nous existons physiquement et sommes enracinés sur une planète physique. Aussi, par le biais d'une relation fondée sur l'aspect physique pouvons-nous chercher l'unité intérieure de l'âme.

Les mythes et les contes de fées illustrent comment se développer soi-même et réaliser l'unité à travers une liaison amoureuse. Cendrillon, par exemple, est incapable d'accéder au bonheur tant qu'elle n'est pas unie au Prince, le compagnon idéal. Ce conte présuppose plusieurs choses : l'existence d'un compagnon idéal (le Prince Charmant), que la vie est difficile et incomplète jusqu'à ce que celui-ci ait été trouvé, et que le bonheur parfait vient après l'union. « Cendrillon » est résolument un conte sur l'expérience universelle de la séparation et le désir inné de retrouver l'unité.

Dans « La Belle et la Bête », la jeune fille est « initiée » par son partenaire. Aux valeurs traditionnelles de richesse et d'attrait physique répondant à sa beauté se substitue la reconnaissance des qualités intérieures de la Bête. Le choix conscient qu'elle fait se voit récompensé par la transformation de la Bête en un séduisant prince.

Les contes de fées et les mythes reflètent de profondes vérités intérieures. Ils éclairent nos besoins psychiques les plus inconscients. Dans les mythes de l'ancienne Grèce, les dieux s'accouplent volontiers avec les humains, expression symbolique de l'union entre l'esprit et la matière, le divin et l'humain.

Les lois de l'attraction

En plus de notre corps physique, nous possédons des *corps d'énergie*. Ces derniers nous sont attachés tout autant que notre enveloppe charnelle mais, bien que nombre d'entre nous soient conscients de leur existence, ils ne sont perceptibles qu'aux personnes douées de clairvoyance.

L'attraction est un phénomène d'échange énergétique entre deux corps, corps physiques ou corps émotifs. Lorsque deux personnes déclarent par exemple être « sur la même longueur d'ondes », ils font là allusion à l'attraction entre leurs corps mentaux respectifs. L'attrait que nous ressentons pour un être peut se situer sur n'importe lequel de ces niveaux et plus vraisemblablement sur plusieurs à la fois, le partenaire idéal étant bien sûr celui qui nous « active » non seulement intellectuellement, mais physiquement et émotionnellement.

On se demande souvent ce qui fait que deux personnes sont attirées l'une vers l'autre : « Mais qu'est-ce qu'elle peut bien lui trouver ? » Ou encore : « Qu'est-ce qu'ils font ensemble ? Ils n'ont vraiment rien en commun ! » Le fait est qu'un observateur extérieur ne voit généralement pas les raisons profondes qui soudent le couple. Les choses lui apparaîtraient certainement plus clairement s'il pouvait distinguer l'émanation globale de leurs auras, soulever le voile des apparences et contempler leurs corps subtils.

Lorsque nous parlons d'attraction entre deux personnes, on peut encore se demander s'il s'agit d'une union des contraires ou de «qui se ressemble s'assemble». Tout dépend en fait sur quel niveau se situe la relation. Néanmoins, un rapport profond et durable sera presque toujours institué sur la base du «qui se ressemble s'assemble». Il est important que le couple partage certains objectifs et la même courbe d'évolution, ceci afin de créer une véritable compatibilité et de maintenir une fructueuse et stimulante relation. Si l'affinité d'âme est absente, les partenaires courront le risque d'entrer en compétition l'un avec l'autre, perdant peu à peu leur complicité pour aboutir à la séparation.

Une personne égoïste par nature attirera sans doute un compagnon pourvu du même défaut, son égoïsme pouvant cependant s'exprimer de manière différente. Le challenge pour eux consiste alors à confronter ce travers commun pour le dépasser ensemble. Quelqu'un de sensible attirera une personne également sensible. L'un et l'autre peuvent néanmoins ne pas être conscients de leur sensibilité qu'ils apprendront à voir dans leur partenaire-miroir. Les mêmes qualités ne se manifestant pas de la même façon chez l'homme et la femme, ils seront complémentaires.

L'attraction des contraires se situe bien au-delà de l'apparence physique. Elle repose sur un phénomène de friction. Dans la plupart des cas, une telle relation provoque conflits et traumas. Il appartient ensuite aux deux membres du couple de tirer de ces épreuves un enseignement positif. La friction apporte en effet l'occasion de progresser car elle oblige les deux partenaires au compromis, à la tolérance et à la flexibilité, facultés dont ils ont grand besoin mais qu'en d'autres circonstances ils n'auraient sans doute pas considérées. Ceci étant dit, une fois cette étape franchie, la relation a peu de chances de se prolonger.

Il arrive souvent qu'une personne de nature douce et sensible soit attirée par un partenaire que d'autres qualifieront de brute. De par sa fragilité même, l'être sensible anticipe les mauvais traitements et attire ainsi à lui le partenaire susceptible de les lui infliger. Il crée en quelque sorte une situation qui va le renforcer dans son rôle de victime. Toutefois, après s'être investi dans suffisamment de relations basées sur ce principe, la « victime » se rendra éventuellement compte qu'elle n'a plus envie d'être maltraitée. Sa croix deviendra finalement trop lourde à porter. Ce sera le moment pour elle d'échapper à ce schéma relationnel négatif et de changer de rôle.

Un autre type d'attraction est celui de deux individus présentant des qualités d'âme similaires mais dont les personnalités sont totalement opposées. Ils n'ont jamais la même opinion sur les choses, ce qui est de bon goût pour l'un est mauvais goût pour l'autre, etc. Pourtant, leurs âmes vibrent à l'unisson. Il va sans dire qu'une telle relation sera copieusement assaisonnée de disputes et de conflits, mais il y aura en même temps une volonté sincère de la part de chacun des partenaires de se nourrir de l'autre, de s'enrichir à son contact, une volonté bien sûr dont l'amour sera le ciment. Malgré les difficultés et les fréquentes épreuves de bras de fer, le couple forme un tout, un ensemble cohérent.

L'âme sœur : le rêve absolu

Qui d'entre nous, secrètement ou ouvertement, n'est pas à la recherche de l'âme sœur ? Le compagnon ou la compagne rêvé(e) avec qui l'on aura cette relation idéale, à la fois physique, émotionnelle, mentale et spirituelle, celui ou celle qui nous apportera son soutien, sa confiance et avec qui le dialogue sera toujours ouvert...

Pour certaines personnes, l'union avec l'âme sœur fait partie de leur destinée, elle ouvre la voie de l'amour, du partage et de l'extase inconditionnels. L'âme sœur vous accompagne tout au long de votre existence. Un voyage à deux qu'il faut être décidé à entreprendre en sachant parfois s'oublier soi-même.

James et Anne sont deux âmes sœurs. Pendant et après ses années d'université, Anne manifesta contre l'engagement militaire américain au Viêt-nam, alors que James, à la même période, terminait ses études à West Point et partait pour le Viêt-nam en qualité d'officier. Plusieurs années après la fin de la guerre, ils se rencontrèrent et tombèrent immédiatement amoureux l'un de l'autre.

À première vue, leurs opinions politiques apparaissant si différentes, on aurait pu penser que leur relation ne tiendrait pas. Mais tous les deux étaient au fond – chacun à leur manière – de vrais patriotes ayant foi en la justice et la démocratie. Ils furent capables de trouver un terrain d'entente et commencèrent à discuter sur ce que la guerre leur avait enseigné à l'un comme à l'autre sur le plan individuel... James était revenu du Viêt-nam profondément désillusionné et mettant en doute cette autorité militaire de laquelle il dépendait. Il n'était plus aussi simple désormais d'obéir aux ordres sans réfléchir. De son côté, tout au long de ces douloureuses années de guerre, Anne avait appris la compassion et la tolérance. Elle se gardait bien de juger les gens aussi rapidement qu'elle avait autrefois coutume de le faire. Elle savait que chaque personne avait un chemin particulier à suivre vers la réalisation et l'accomplissement de soi. Anne et James avaient en fait des qualités d'âme complémentaires bien que leurs expériences de vie soient si différentes. Par suite de quoi leur union se fortifia et, chacun offrant à l'autre le meilleur de lui-même, ils s'engagèrent ensemble dans une vie de couple qui devait se révéler particulièrement réussie.

La qualité spécifique de cette relation entre âmes sœurs est une profonde connexion spirituelle établie au cours de nombreuses existences. Pour cette raison, au concept d'âme sœur est généralement attaché celui de la réincarnation. Certains pensent cependant que chacun possède ici-bas l'âme sœur lui correspondant, que les vies passées ou futures n'ont rien à y voir.

Selon la doctrine de la réincarnation, après la mort physique l'âme intègre un nouveau corps en conservant les aptitudes et mérites acquis précédemment. La finalité de l'âme consiste en effet à atteindre son achèvement, or celui-ci ne peut être réalisé dans le cours d'une seule existence. En se réincarnant un grand nombre de fois en des êtres différents appartenant à toutes sortes de cultures, l'âme acquiert de nouvelles qualités, étend le champ de son expérience, se développe et trace son chemin vers la connaissance.

Il arrive à beaucoup de gens de ressentir une affinité inexplicable pour certains lieux ou certaines personnes. Ce sentiment particulier peut être dû à l'expérience de vies précédentes. Une ville que l'on visite pour la première fois nous semble étonnamment familière... Cet homme ou cette femme éveillent en nous le souvenir d'une époque lointaine... La théorie de la réincarnation explique certains phénomènes comme celui de l'enfant prodige, celui de l'individu capable d'apprendre une langue étrangère avec une extraordinaire facilité. Un sondage d'opinion effectué en 1981 révèle qu'environ trente-huit millions d'Américains – soit le quart de la population adulte – croyaient en la réincarnation.

Il est à noter que l'âme sœur n'est pas nécessairement un partenaire du sexe opposé. Elle peut s'incarner en un membre de notre famille ou se révéler à travers une très forte amitié avec une personne du même sexe que nous. Je me contenterai cependant dans ce chapitre de traiter des âmes sœurs partageant une destinée en tant que couple homme-femme, une destinée qui se forge et s'accomplit au cours d'un grand nombre d'existences successives.

S'il est exact que nos âmes sont prédestinées et qu'elles ont déjà déterminé le meilleur chemin à suivre pour atteindre l'achèvement, pourquoi sommes-nous si nombreux à ne pas avoir de but dans la vie? La réponse à cela est contenue dans notre faculté de nous déterminer par le libre arbitre, c'est-à-dire par l'exercice de notre volonté. Il arrive bien souvent en effet que nous utilisions cette liberté de façon puérile et opiniâtre, attitude qui nous écarte justement de la voie de l'épanouissement. Nous sommes également conditionnés par l'éducation reçue, manipulés à notre insu par les médias, déroutés par les choix et propositions de notre société moderne. Savoir ce que nous devons faire de notre vie implique une connaissance approfondie de soi-même. Il faut pour cela écouter notre voix intérieure, se laisser guider par elle. Pour Jung, «le libre arbitre consiste à faire avec joie les choses que l'on doit faire».

En plus du sens de la destinée individuelle, l'individu devra être capable de partager celle-ci avec une autre personne. On ne peut rencontrer l'âme sœur si l'on n'est pas sincèrement persuadé de la réalité du partage et des effets de «feedback» au sein d'une relation de couple. L'une des caractéristiques essentielles de cette relation entre âmes sœurs réside dans le fait que chacun des partenaires soit à même de saisir le sens de la destinée de l'autre et de lui servir de catalyseur pour l'aider à atteindre son but.

On raconte que dans les temples légendaires d'Atlantis les couples se formaient non pas en fonction de leur statut social mais en fonction de la compatibilité de leurs qualités. Après avoir réuni les individus selon la communauté de leurs goûts, de leurs talents et de leurs prédispositions, l'affection et l'amour s'ensuivaient naturellement. Comme je l'ai évoqué plus tôt, le développement des qualités émotionnelles était la note dominante du schéma évolutif atlantéen. Pour cette raison, l'harmonie au sein des relations de couples apparaissait comme tout à fait fondamentale.

Le cours ultérieur de notre évolution voulut que cette qualité sélective soit peu à peu reléguée au second plan. L'argent, le pouvoir, le rang social et autres valeurs temporelles présidèrent aux unions entre hommes et femmes, l'amour n'étant que très rarement pris en compte. Les qualités extérieures l'emportaient sur les qualités intérieures. De tels critères de sélection subsistent encore aujourd'hui et l'on voit bien des couples qui, basés sur les apparences et les intérêts matériels, cherchent en vain le bonheur et la stabilité.

On compare souvent cette planète à une école. Nous sommes tous ici-bas pour apprendre et nous perfectionner au travers de nos expériences. Au stade actuel de notre évolution, affranchis de la tutelle des maîtres spirituels qui nous dictaient jadis chacun de nos actes, nous sommes supposés nous prendre complètement en charge et avoir suffisamment de clarté d'esprit pour faire les bons choix. Bien entendu, une aide spirituelle est toujours disponible mais celle-ci doit maintenant être sollicitée par la prière et la méditation.

Du temps d'Atlantis, nous dit la légende, lorsque deux âmes de caractères compatibles étaient réunies sous l'autorité d'une assistance spirituelle directe, on prononçait des pactes d'amour afin de souder les destinées des intéressés. L'adhésion à ces pactes d'amour reposait sur des qualités d'âme inaltérables avec le temps. Au contraire, elles se développent, se déploient grâce aux expériences dont l'enrichissent les incarnations successives.

Si cette légende est vraie, pour certains d'entre nous, la recherche de l'âme sœur a pour origine les pactes d'amour atlantéens. En effet, on pense souvent que les personnes aspirant à l'union avec l'âme sœur ont été soumises à une initiation spirituelle leur dévoilant leur attachement profond et intemporel pour une autre âme. Il est dit également que lors des cérémonies célébrant ces pactes d'amour, le couple avait la révélation de sa destinée future et de la manière dont cette relation se manifesterait au cours des siècles.

Toutes les connexions entre âmes sœurs ne proviennent évidemment pas de cette époque. Certaines ont pu s'établir dans le Pérou du quinzième siècle ou dans l'Angleterre victorienne. D'autres encore sont en ce moment même en train de naître. Quoi qu'il en soit, la recherche de l'âme sœur, je le répète, est une œuvre de longue haleine nécessitant une suite d'épreuves et d'expériences réparties sur plusieurs vies. Il n'est pas sûr que nous la rencontrions au cours de notre présente incarnation, mais que cela ne soit pas une source de désillusion ou d'affliction, car chacune de nos vies représente l'un des maillons de cette précieuse chaîne qui nous relie à l'éternité et nous conduit à l'Illumination.

Le chemin du cœur

Nous pouvons vivre un véritable amour sans pour cela avoir rencontré l'âme sœur. Toute relation amoureuse est en effet susceptible de se développer en un « pacte d'amour ». Pour cette raison, plutôt que de chercher à savoir si oui ou non celui ou celle avec qui nous partageons notre vie est bien l'âme sœur, il est plus important de vivre pleinement l'amour qui nous est donné, de s'y investir sans compter en ouvrant notre chakra du cœur. Comme je l'ai dit précédemment, les chakras sont des composantes essentielles de notre système énergétique et sont étroitement reliés les uns aux autres. S'il existe un blocage (par exemple, un refus inconscient de nouvelles expériences) au niveau des chakras inférieurs, le chakra du cœur éprouvera de grandes difficultés à s'ouvrir et la relation amoureuse demeurera purement sexuelle. Dans la même logique, si les chakras inférieurs laissent librement circuler l'énergie, le cœur sera irradié et l'amour prendra sa vraie dimension physique et émotionnelle.

Le chakra du cœur détient en effet le pouvoir de nous arracher à nos préoccupations égoïstes et instinctuelles pour nous mettre en contact avec notre énergie spirituelle. La tendresse et la fidélité des sentiments attestent un niveau de conscience élevé. Lorsque nous rencontrons quelqu'un, il y a attraction ou pas, la non-attraction pouvant aller de l'indifférence à l'antipathie. Selon le degré d'attraction que l'on ressent, nous devons apprendre à distinguer lequel des chakras est impliqué.

L'attraction issue du chakra-racine, par exemple, se rapporte principalement au besoin de survivance. On attend de l'autre une totale prise en charge. «Sans toi, je mourrai», pourrait dire le chakra-racine.

Lorsque ce chakra est stimulé, on ressent une sensation de chaleur accompagnée de picotements au niveau des organes génitaux. L'attraction que l'on éprouve pour l'autre est avant tout sexuelle.

Le chakra du plexus solaire contrôle les passions, l'instinct. Il exprime le désir de possession de l'autre, la jalousie.

Parce que le chakra du cœur exprime l'amour désintéressé, les sentiments de tendresse, l'oubli de soi et le désir de partager sont liés à ce centre d'énergie.

Lorsque le chakra de la gorge est stimulé, on se sent le besoin de tout dire tout de suite, d'échanger avec l'autre ses idées, ses impressions, mais aussi de lui demander conseil. Ce chakra inspire en outre le désir de créer à deux.

Le chakra des sourcils, le troisième œil, domine l'imagination et l'inspiration. On perçoit les possibilités spirituelles de notre relation avec l'autre.

Il est extrêmement rare que deux personnes se rencontrant pour la première fois provoquent une réaction du chakra-couronne. Cela signifierait reconnaissance d'âme mutuelle et instantanée, compatibilité spirituelle parfaite et absolue.

La seule manière d'interpréter et d'analyser ces réactions est de prendre conscience de la réalité de leur existence. Lors d'une nouvelle rencontre par exemple, prenons le temps de nous demander : «Quel est la nature de mon sentiment pour cette personne ? Pourquoi provoque-t-elle cette émotion en moi ? Mon attirance est-elle purement sexuelle ou sentimentale ? » Si l'on s'habitue à se poser ces questions à soi-même, les réponses viendront tout naturellement. Elles aiguiseront notre lucidité quant aux situations dans lesquelles nous nous trouvons et nous aideront à équilibrer nos rapports intérieurs entre l'instinctuel et l'émotionnel.

Au fur et à mesure que nous apprendrons à connaître les chakras nous comprendrons quel rôle essentiel ils jouent dans notre vie. Leur action dynamique est constante, tant sur le plan individuel que sur le plan relationnel. Lorsque deux partenaires amoureux entretiennent par exemple un rapport essentiellement basé sur les chakras inférieurs, l'instinct sexuel prédominera. Il se peut que leur relation soit durable mais elle n'aura jamais la profondeur d'un véritable amour qui implique une participation active du chakra du cœur. Il leur faudrait pour cela élever leur énergie à un niveau supérieur. Une telle initiative ne peut cependant être prise sans que l'un et l'autre aient conscience de cet échange énergétique à l'intérieur du couple et de l'influence négative qu'exercent certains sentiments tels que jalousie, envie, égoïsme.

Il peut arriver également que le couple fonctionne sur deux plans différents, l'un des partenaires répondant par exemple avec le chakra du cœur, l'autre avec celui du plexus solaire. La personne centrée sur le cœur choisira éventuellement de ramener ses aspirations à un degré inférieur afin de se mettre au niveau de son compagnon ou de sa compagne mais, ayant déjà eu la vision des perspectives infiniment plus larges qu'offre une relation basée sur le chakra du cœur, le déséquilibre engendrera inévitablement un sentiment d'insatisfaction et de malaise de sa part.

D'un point de vue purement pratique, le refoulement ou le blocage du chakra du cœur – ou tout autre centre d'énergie – est d'ailleurs contre nature. L'univers étant voué à la croissance et l'expansion, nous sommes appelés à l'imiter, à chercher à nous ouvrir toujours davantage plutôt qu'à nous replier sur nous-même. En effet, plus nous nous ouvrons et plus nous sommes en mesure de donner et recevoir. Certaines personnes hésitent à laisser s'exprimer le chakra du cœur, sans doute par crainte que leur relation amoureuse ne manque de cette passion déployée par le chakra du plexus solaire et le chakra sacral. Elles se trompent. Le cœur est le chemin menant à la véritable fusion amoureuse, à l'authenticité des rapports entre deux partenaires. Un couple guidé par le chakra du plexus solaire, s'il vit une grande passion, en sera également la victime car il ne saura la dominer. Il en sera le jouet comme un bateau sans pilote est le jouet des vents et des courants.

Il existe encore un autre type de relation dont le cœur est absent ou dont il s'est peu à peu retiré... C'est le cas de ces mariages où les deux conjoints n'ont plus rien à partager mais restent ensemble pour des raisons de sécurité ou de confort, ou pour le bien-être des enfants. Ils partagent certes la même maison, peut-être la même chambre, ils donneront souvent l'illusion d'être un couple uni, mais ce n'est qu'une façade, un amour en trompe l'œil.

Les nombreuses frustrations et difficultés liées au fait d'avoir une relation suivie avec un partenaire dans le monde d'aujourd'hui poussent bien des gens à renoncer à l'idée même de rencontrer l'amour. Malgré ses inconvénients, la vie de célibataire leur semble préférable, plus facile à assumer. Ils préfèrent entretenir des amitiés platoniques, se dédier à leur carrière, distraire leur solitude en voyageant. Il leur manquera cependant l'émulation que crée une relation équilibrée, cet échange d'énergie, cette exaltation qui nous permettent d'avancer plus vite sur la voie de la conscience et de la connaissance de soi.

En outre – et selon la psychologie jungienne –, il est naturel pour chacun de rechercher cette moitié de lui-même qu'il porte dans son inconscient, son Animus ou son Anima. Or, seul un partenaire de l'autre sexe peut nous fournir l'occasion de réaliser ce processus de prise de conscience sans lequel nous ne serons jamais tout à fait complets.

J'ajouterai pour terminer que, si nous ne sommes pas assurés de trouver l'âme sœur dans notre incarnation présente, il n'y aura de progrès possible dans ce sens qu'au travers de nos expériences de vie à deux.

6

Vers une relation idéale

L'homme entretient avec le monde qui l'entoure toutes sortes de relations : sociales, professionnelles, amoureuses, mondaines, familiales ; mais aussi relations avec le monde des idées, avec les choses inanimées. Plus vaste sera notre sphère relationnelle et plus nous serons ouverts au monde, une disposition d'esprit qui nous permettra de nous enrichir toujours davantage, d'apprendre à donner et recevoir.

Comme je l'ai démontré dans les précédents chapitres, le lien amoureux est certainement le type de relation le plus accompli qui puisse exister entre deux êtres humains. Les personnes capables d'établir un contact profond avec leur partenaire et de s'impliquer sans restriction dans l'expérience de la vie à deux repoussent leurs limites individuelles ainsi que leur capacité d'aimer, de comprendre et d'accepter le monde dans sa diversité.

La relation amoureuse implique également un échange énergétique constant. À l'image du reste de l'univers, chacun de nous expérimente l'expansion et le mouvement. Or, il n'y a pas de mouvement sans magnétisme. L'attraction est donc mouvement. Si nous ne sommes pas attirés par quelque chose (ou quelqu'un), c'est l'inertie, voire la régression.

Mouvement et stagnation

Il nous arrive parfois de traverser des périodes de découragement quand tout ce que nous entreprenons semble ne mener à rien. Il peut se passer des semaines, voire des mois, où l'inactivité et l'adversité empêchent le moindre de nos projets de se réaliser. Bien que nous ayons alors l'impression de reculer au lieu d'avancer, il n'en est rien. L'univers est en expansion constante et, que nous en soyons conscients ou non, nous participons à ce mouvement. Ces moments de frustration et de stagnation apparente correspondent en fait au flux et au reflux naturel de la vie. Comme après un repas copieux nous prenons le temps de la digestion, nous avons besoin d'assimiler nos expériences. Le repos succède à l'activité. Et cette frustration dont nous faisons l'expérience nous contraint en quelque sorte à jeter un regard intérieur sur nous-même, à faire le point de la situation. Une fois ce travail accompli, nous sommes alors en mesure d'avancer vers l'étape suivante. S'il l'on ne résoud pas ces difficultés au moment où elles se présentent à nous ou que l'on cherche de fausses solutions, elles réapparaîtront tôt ou tard. Nous devons mettre à profit ces périodes de frustration pour nous prendre totalement en charge, visualiser les éventuels schémas négatifs que nous nous sommes créés et amorcer un redressement positif.

Selon la pensée bouddhiste zen, tout ce qui nous arrive se produit au moment approprié. Nous devons respecter ce rythme naturel, ne rien précipiter et agir en accord avec lui.

Attraction : la face cachée

Lorsque nous rencontrons une personne pour la première fois, il y a échange d'énergie à tous les niveaux. Cet échange est à la base de ce que j'appellerai la dynamique de l'attraction.

C'est au travers de cette loi de l'attraction que nous

établissons avec les choses ou les êtres un contact bien spécifique répondant à une nécessité intérieure. L'attraction «extérieure» reflète en quelque sorte un besoin profond, un désir de progresser. Cette attraction se manifeste parfois avec une rapidité étonnante. Nous nous passionnons par exemple pour tel ou tel sujet et le livre rêvé nous tombe entre les mains. Nous avons besoin d'un maître et celui-ci se présente spontanément à nous. Ou encore, alors que nous traversons une période difficile, un ami dont nous n'avions plus de nouvelles sonne à notre porte.

En nous efforçant d'être toujours plus réceptifs et tolérants, nous développons notre pouvoir d'attraction. C'est dans les situations d'adversité que nous en mesurons aussi les limites et, conséquemment, prenons conscience du travail encore à accomplir. Si, comme l'affirme la doctrine métaphysique, nous sommes effectivement attirés dans une situation parce qu'elle est nécessaire à notre évolution, la manière dont nous l'assumons est le véritable test.

La plupart d'entre nous ont une image idéalisée du partenaire parfait réunissant toutes les qualités. Nous pensons généralement que si le couple est uni par une forte affinité de cœur, la relation s'étend et s'approfondit. Ce cas de figure n'est cependant pas le plus fréquent. Pour la grande majorité des couples, le bonheur et l'harmonie sentimentale sont le fruit d'un travail, d'une élaboration commune et individuelle à la fois. Après l'euphorie des premiers temps, les deux partenaires prennent conscience de leurs différences, de leurs difficultés à s'entendre sur certains points. Ce retour aux réalités, s'il est accepté et regardé sous son angle positif, leur donne la possibilité de mieux comprendre la vraie nature de leur relation et de développer les qualités de tolérance, d'indépendance et de respect de l'autre. Il peut aussi les aider à élucider des problèmes jusque-là refoulés ou surmonter des habitudes de paresse, d'égoïsme, d'insensibilité. Lorsque nous nous engageons dans une nouvelle liaison, nous devons donc être conscient de la dynamique intérieure de l'attraction et de ses implications dans notre vie. L'amour n'est pas seulement une communion de sentiments doublée d'une entente sur le plan sexuel, il requiert de notre part une solide prise de conscience de nos aspirations profondes et de nos motivations, ainsi que de la façon dont nous les exprimons au sein de notre relation.

La compatibilité énergétique

J'ai déjà insisté sur le fait qu'une relation amoureuse accomplie suppose l'interaction harmonieuse de tous les aspects de la personnalité (physique, émotionnelle, mentale et spirituelle), une fusion de nos corps subtils et de nos sept chakras avec ceux de notre partenaire. Rares sont les couples qui parviennent à cet accord parfait, mais plus nous avançons dans cette voie plus nous approfondissons et consolidons notre relation. Cette idée constitue l'une des théories fondamentales dans l'œuvre de Wilhem Reich, psychiatre et psychanalyste américain, apôtre de la révolution sexuelle.

Parce que l'acte de procréation ne peut avoir lieu sans l'union des polarités mâle et femelle, en ce sens – et sur le plan physique – on peut dire que les contraires sont mutuellement attirés l'un vers l'autre. Telle est également la définition du principe oriental du yin et du yang.

Le corps émotionnel inférieur étant une sorte d'épreuve négative du corps physique, on peut considérer à ce niveau qu'il y a attraction entre les identiques. Deux personnes passionnées seront par exemple compatibles.

Le corps émotionnel supérieur est la polarité du corps situé en dessous de lui, phénomène qui s'applique d'ailleurs à tous les autres corps. La compatibilité à ce niveau suppose l'attraction des contraires. Une personne qui ressent le besoin de dominer s'accordera de préférence avec un partenaire qui préfère un rôle passif et secondaire. Si les deux veulent assurer le rôle de leader, les dissensions seront inévitables.

Le corps mental inférieur recherche la compagnie d'un être qui partage ses convictions profondes et ses jugements de valeurs. Deux personnes fondamentalement honnêtes accordant à l'intégrité une haute valeur morale seront tout à fait compatibles, même si elles sont en désaccord sur d'autres sujets.

Le corps mental supérieur se manifeste dans l'attraction des opposés. Quelqu'un d'essentiellement intuitif aura besoin de trouver son complément dans un partenaire pourvu de réalisme et de sens pratique.

Le corps spirituel inférieur, par contre, ne peut s'accoupler qu'avec une polarité identique. Les qualités d'âme et le niveau de conscience de chaque partenaire doivent en effet s'accorder afin d'être en mesure de s'inspirer mutuellement et de partager le même schéma de destinée.

Sur le plan du corps spirituel supérieur, l'individu ayant réalisé l'unité au sein de sa propre polarité cherchera en son partenaire la résonance correspondant à ce travail intérieur.

Problèmes de compatibilité

Quand nous ressentons une vive attirance pour quelqu'un, nous sommes bien souvent incapables de dire lesquels de nos chakras sont stimulés. Nous sommes alors complètement déroutés par ce qui se passe en nous. Il nous est tous arrivé d'éprouver le brusque «coup de foudre», ou bien, à l'opposé, de ressentir une antipathie immédiate pour quelqu'un avant même qu'il nous ait adressé la parole.

Tant que nous n'aurons pas pris conscience de l'existence des chakras et du rôle prépondérant qu'ils jouent dans nos relations avec le monde, nous ne pourrons expliquer pourquoi nous sommes attirés par une personne plutôt que par une autre. Pour que la lumière se fasse, nous devons apprendre à percevoir l'énergie émise par les différents chakras, la reconnaître et interpréter ses messages.

Comment acquérir une telle connaissance? Mis à part la thérapie bioénergétique impliquant un travail sur le corps, le moyen le plus efficace consiste simplement à se mettre à l'écoute de son corps et des sentiments qu'il exprime. Lorsque l'on éprouve par exemple une forte exaltation dans la partie supérieure de la poitrine, le chakra du cœur est probablement stimulé. Une sensation de légèreté au creux de l'estomac liée à un état d'excitation correspond à l'ouverture du chakra du plexus solaire. Une vibration au niveau des organes sexuels traduit la réponse du chakra sacral à telle situation ou telle personne.

De la même façon, nous pouvons également sentir le blocage d'un chakra, la partie du corps lui correspondant tombant dans une sorte de léthargie, de langueur. Un blocage important peut même occasionner une douleur physique. Lorsque l'on refoule une intense émotion par exemple, le chakra du plexus solaire se contracte en provoquant de vifs élancements. Un tel comportement émotionnel est d'ailleurs susceptible d'entraîner à la longue ulcères et troubles intestinaux. À ce sujet, les guérisseurs holistiques – tels que Barbara Ann Brennan et Dolores Krieger – considèrent que la plupart des maladies humaines sont le résultat d'un mauvais fonctionnement des chakras, chaque blocage spécifique étant lié à un problème de santé particulier.

Une autre façon de prendre conscience des blocages affectant nos chakras consiste à observer nos modes d'action et de comportement et de se demander par exemple : « Est-ce que j'assume pleinement mes émotions ? » « Quelles sont mes grandes inquiétudes face à la vie ? » « Comment est-ce que je me protège des autres ? » En s'efforçant de répondre à ces questions, nous parviendrons à une meilleure compréhension de notre schéma psychologique et de sa manifestation au travers des chakras.

La conscience progressive de nos centres d'énergie nous aide à ressentir les phénomènes d'attraction – ou de répulsion – au moment même où ils se passent, et à quel niveau ils se situent. Nous cessons alors de les subir passivement et possédons une véritable lucidité quant au choix du partenaire amoureux. L'esprit de discernement nous permet de choisir notre partenaire en fonction de nos besoins et de nos aspirations profonds.

Dans notre société actuelle, on ne nous enseigne malheureusement pas à reconnaître et percevoir cette énergie. Nous faisons davantage confiance au raisonnement intellectuel en matière de prise de décision. Il est pourtant fréquent de s'entendre dire : «Si seulement j'avais écouté mon intuition...» Réflexion que l'on se fait généralement lorsqu'il est déjà trop tard. S'il est exact que la première impression que l'on peut avoir à propos d'une personne ou d'une situation est souvent la bonne, encore faut-il savoir l'interpréter et en tenir compte.

Il est vital de sentir d'où proviennent nos attractions. La plupart sont issues du plexus solaire ou des chakras inférieurs et engendrent des relations essentiellement sensuelles et mouvementées dont la caractéristique n'est certes pas la longévité. Ce type de relations, bien qu'instructif et stimulant, reste cependant assez primaire. Nous aspirons intimement aux valeurs d'amour, de communication et d'engagement attachées aux chakras supérieurs, car notre idéal d'union avec un partenaire puise en fait son énergie dans les chakras de la gorge et du cœur. Le fait est toutefois que la première stimulation inconsciente, la réaction spontanée au phénomène d'attraction provient des chakras inférieurs, siège de la sécurité et du plaisir sensoriel. À cause de cette division intérieure entre l'image idéale d'une relation et sa réalité physiologique, nous ressentons bien souvent une frustration, une déception pouvant justement entraîner la rupture ou le divorce d'avec notre partenaire. Il est donc essentiel d'opérer une réunification de ces deux tendances. Nous devons pour cela prendre conscience de la nécessité et de la valeur intrinsèque de chacun des chakras – et de leurs stimulations respectives.

Blocages énergétiques : les causes

Quelle est la cause de nos blocages énergétiques ? Enfants, nous sommes pareils à de petites dynamos où l'énergie circule librement. Tous nos chakras sont ouverts et nous exprimons spontanément émotions et désirs. Puis, en grandissant, nous faisons l'expérience inévitable de sentiments tels que la peur, la colère, la solitude. Or, il se trouve que notre société accepte mal l'extériorisation de ces états affectifs. Par voie de conséquence, nous les « verrouillons » dans certaines parties du corps, créant ainsi des automatismes de défense, des tensions qui deviennent chroniques au fur et à mesure que nous les répétons. Par exemple, pour se protéger des chagrins affectifs on contracte les épaules de manière à mettre son cœur à l'abri. Pour refouler un sentiment de colère on raidit instinctivement les muscles du dos afin d'avoir un contrôle sur le plexus solaire. Dès l'adolescence, ces automatismes peuvent créer de véritables blocages d'énergie qui gênent et même empêchent la circulation de celle-ci à l'intérieur du corps.

Prenons l'exemple d'un jeune garçon élevé dans une famille qui lui apprend à ne jamais manifester ses émotions. Par souci de plaire à ses parents, il bloquera ses émotions en développant un automatisme de tension des muscles de la nuque. Parce que le cou sépare la tête (siège de l'esprit rationnel) de la poitrine (siège des sentiments), le flux d'énergie allant de l'un à l'autre est alors arrêté. Il s'ensuit un blocage au niveau du chakra de la gorge. L'enfant éprouvera plus tard toutes les peines du monde à exprimer ses émotions. Il sera incapable de pleurer, voire même d'aimer ou de vivre sa sexualité car son approche du monde sera avant tout rationnelle et intellectuelle.

Les blocages du chakra-racine résultent souvent de sentiments d'isolement et de délaissement chez l'enfant, tandis que le manque d'affection affecte le chakra du cœur. Les enfants victimes de sévices sexuels ou dont le développement normal de la sexualité a été contrarié éprouveront fréquemment des blocages au niveau du chakra-racine et dans la région pelvienne.

Comment résoudre les blocages énergétiques

L'énergie aspire naturellement à la croissance, donc à l'expansion. C'est grâce à elle que nous allons de l'avant, que nous explorons de nouveaux domaines. Si elle ne circule pas librement nous nous enfermons dans des schémas relationnels imparfaits, répétant sans cesse l'erreur de choisir des partenaires qui ne répondent pas à nos aspirations. Il est vrai cependant que ces erreurs sont nécessaires au développement de la conscience. Malgré leur caractère souvent pénible et frustrant, elles nous offrent la possibilité de dépasser les conflits intérieurs – blocages et inhibitions – empêchant notre croissance. Dans une telle situation il arrive que les deux partenaires évoluent simultanément et parviennent à sauver leur relation. Par contre, si l'un progresse et que l'autre stagne, le couple n'a plus de raison d'être.

Toute personne désireuse d'étendre le champ de sa conscience et d'aller dans le sens de sa propre intégralité se doit de travailler à l'ouverture de ses centres d'énergie. Elle dispose pour cela de l'éventail des techniques holistiques – polarité, visualisation créative, régénération, massage des chakras – voire même de l'acuponcture. Certaines thérapies impliquant un travail sur le corps – celle de Rolfing, par exemple – ont également prouvé leur efficacité. Une autre méthode particulièrement adaptée au problème de blocage des chakras est la bioénergie. D'abord introduite par Alexandre Lowen et John C. Pierrakos dans les années cinquante, celle-ci présente en effet l'avantage de combiner le travail conceptuel avec l'exercice physique et peut être utilisée aussi bien comme mode thérapeutique que comme discipline individuelle (exercices respiratoires et autres formes dynamiques de libération de l'énergie). On trouvera à ce sujet de plus amples informations dans les ouvrages de Lowen : « Bioénergies », « Plaisir » et « Amour et Orgasme ».

La respiration profonde et consciente aide à prendre connaissance des blocages d'énergie et éventuellement à les dissoudre. La plupart des gens respirent incorrectement. Au lieu de laisser l'air descendre dans les poumons en relâchant le diaphragme, ils gonflent la poitrine et retiennent ce dernier. Lorsque l'air est expiré, alors que le diaphragme devrait alors se contracter, il se détend.

Si nous sommes attentifs à notre façon de respirer, nous remarquons que nos attitudes négatives ou non productives affectent le rythme respiratoire qui devient alors inégal et superficiel. Lorsque cela se produit, nous devons marquer une pause et nous efforcer de respirer régulièrement et profondément afin de nous recentrer. Dans le cas où nos problèmes sont liés à une autre personne, essayons de concentrer toute notre attention sur elle (qu'elle soit ou non physiquement présente) de manière à « sentir » son énergie. Après quelques minutes, nous commencerons à distinguer les motifs sous-jacents de nos difficultés.

Les blocages d'énergie peuvent également se résoudre au travers d'une relation amoureuse. L'exemple d'Ellen nous en donne la preuve. Cette jeune femme souffrait d'un blocage au niveau du chakra sacral (se rapportant aux fonctions sexuelles). Elle m'avoua lors de notre première entrevue éprouver un intense déplaisir à chaque fois qu'elle faisait l'amour et n'avoir pas atteint l'orgasme depuis des années. À cause de cela, elle avait choisi de ne plus s'engager dans des liaisons amoureuses et de se consacrer presque exclusivement à sa carrière professionnelle.

Jusqu'au jour où elle rencontra Sam. Ils ressentirent tous deux une forte attraction l'un pour l'autre, à la fois mentale et émotionnelle. À vrai dire, Ellen n'avait jamais connu quelqu'un avec qui elle s'entendait aussi bien. Ils partageaient les mêmes goûts artistiques, les mêmes opinions politiques, la même passion pour le Scrabble. Bien que leur relation demeurât pour un temps purement platonique, Ellen et Sam adoraient être ensemble et devinrent rapidement inséparables. Puis, lorsque le sexe entra en jeu, à sa grande surprise, Ellen se rendit compte que son corps réagissait avec une ferveur insoupçonnée. Les sentiments d'amour et de connivence qu'elle éprouvait dans les chakras supérieurs avaient provoqué l'ouverture progressive du chakra sacral. Même s'il lui arrivait encore parfois d'éprouver certains blocages, la gentillesse et la délicatesse de Sam, la confiance qu'il arborait en matière de sexualité aidèrent Ellen à se libérer totalement.

Il peut également arriver que les frictions au sein d'une relation permettent l'ouverture des chakras... Matthew était venu assister à l'un de mes séminaires sur la sexualité et me confia ses difficultés. C'était un jeune homme plein de charme qui aspirait à rencontrer celle qui ferait son bonheur : une femme qui le comprendrait et l'aimerait. Son chakra du cœur étant très ouvert, il n'avait aucun problème pour séduire mais se refusait catégoriquement à faire l'amour avec quelqu'un dont il était amoureux de crainte que le sexe ne vienne tout gâcher. Certaines de ses conquêtes pensaient qu'il était homosexuel. D'autres, sachant qu'elles n'avaient rien à redouter de sa part, se sentaient parfaitement à l'aise en sa compagnie et le traitaient un peu à la manière d'un confident. En fait, Matthew ressentait pour elles une authentique attirance sexuelle mais opérait une séparation entre ses sentiments et ses pulsions. Lorsque le désir devenait trop impérieux, il allait dans l'un de ces bars pour célibataires chercher une compagne d'un soir, liaison éphémère qui n'allait jamais plus loin que l'assouvissement sexuel. Bien qu'il parût se satisfaire d'un tel arrangement, il se sentait en vérité profondément frustré et insatisfait.

D'après la théorie bioénergétique, Matthew avait un blocage entre le chakra du cœur et le chakra sacral, blocage qui creusait un abîme entre les sentiments et la sexualité. Les deux ne pouvaient s'exprimer ensemble mais fonctionnaient parfaitement chacun de leur côté. Il n'avait aucun problème de puissance sexuelle, aucun problème non plus à manifester ses sentiments.

Puis il rencontra Maria à une soirée chez des amis et éprouva immédiatement pour elle une attirance sur plusieurs niveaux. Maria ressentit la même chose et, le soir même, ils firent l'amour. Tout d'abord, Matthew pensa qu'elle n'était rien de plus qu'une pièce supplémentaire à son tableau de chasse. Maria, elle, plus perspicace que la plupart des femmes, avait perçu le double message émis par Matthew. Ils avaient certes fait l'amour avec passion, mais il manquait cette tendresse de cœur qu'il lui avait témoignée un peu auparavant. Sachant intuitivement qu'il était capable d'être à la fois sentimental et sensuel, Maria décida d'investir son énergie et sa patience dans cette relation qui, elle le sentait, en valait la peine. Au lieu de se montrer passive et soumise comme les précédentes conquêtes de Matthew, elle le confronta au problème. Troublé par la franchise et la lucidité de la jeune femme, il se rendit compte qu'il n'aurait jamais de relation amoureuse épanouie s'il ne parvenait pas à recomposer son unité intérieure, à combler cet abîme entre le cœur et le sexe. Bien que leur liaison fût loin d'être harmonieuse, Matthew et Maria continuèrent donc à se voir dans les mois qui suivirent. Inconsciemment, il lui arrivait encore de bloquer brusquement ses sentiments et de faire l'amour sans manifester la moindre émotion. Quand cela se produisait, Maria le forçait aussitôt à réagir. Parce qu'il éprouvait le plus grand mal à concilier sa peur des femmes avec l'irrésistible besoin de leur compagnie, Matthew se dérobait souvent, refusant d'assumer cette division à l'intérieur de lui-même. Puis, progressivement, ses chakras commencèrent à s'aligner, à communiquer entre eux. Simultanément, sa relation avec Maria s'équilibra et devint de plus en plus épanouie.

Considérant une liaison amoureuse, il est erroné de penser qu'elle est constructive ou destructive selon qu'elle est harmonieuse ou difficile. Nombre de relations réussies peuvent en effet passer par de douloureuses épreuves qui seront autant d'étapes vers l'accomplissement si les deux partenaires savent les regarder comme telles et les mettre à profit. Une relation constructive a pour objet de dépasser les schémas établis, d'aller de l'avant tandis qu'une relation destructive est celle qui répète constamment les mêmes erreurs et demeure dans un état de stagnation. Le phénomène de friction se produit généralement lorsque nos besoins ne sont pas satisfaits ou que l'on se refuse à faire face à une situation dont nous sommes — entièrement ou en partie — responsable. Au lieu de s'entêter à rejeter la faute sur l'autre, nous devons plutôt assumer nos responsabilités, chercher une solution qui ne soit pas une échappatoire.

Gail et Richard sont ensemble depuis cinq ans. S'ils s'entendent parfaitement sur bien des points, ils ont malgré tout des problèmes de blocage d'énergie causant certaines frictions entre eux. Par l'analyse, ils ont appris à ne plus projeter leurs peurs sur l'autre, ni le rendre responsable de leur mal-être personnel. Lorsque Gail décida de prendre un commerce à son compte, Richard lui montra son soutien en lui proposant de lui prêter de l'argent. Elle fut sensible à son offre mais la déclina néanmoins. L'enthousiasme et l'intérêt que lui témoignait Richard étaient suffisants. Elle savait intimement qu'elle devait assumer seule cette nouvelle situation, qu'elle avait là l'occasion de développer et de consolider ses aptitudes personnelles. Richard a compris la raison de son refus et ne s'en est pas froissé. Gail serait toujours disponible, comme avant, et son indépendance financière ne menaçait nullement leur relation. Parce qu'ils se respectaient mutuellement et prenaient en charge leurs propres sentiments et convictions, Gail et Richard évitaient ainsi de s'enliser dans leurs problèmes respectifs.

La croissance mutuelle est le résultat direct d'une véritable relation d'amour. Dans son livre *Le Chemin le moins fréquenté,* M. Scott Peck nous le dit : «Il apparaît tout de suite que la volonté de croître est par essence de même nature que l'amour. L'amour est une volonté d'extension de soi-même vers la spiritualité. Les personnes naturellement portées à aimer sont par définition des personnes amenées à croître.»

Lorsque deux partenaires sont énergétiquement en harmonie il s'ensuit une confiance mutuelle spontanée. Si, par contre, leurs chakras ne sont pas également ouverts ou s'ils vibrent différemment à des niveaux distincts, les possibilités de conflit sont grandes. Il ne saurait y avoir de relation durable et satisfaisante sans que le couple soit uni par la confiance et par la volonté mutuelle de croître et d'évoluer. Cet engagement implique une communication profonde, une étroite connexion entre les chakras respectifs des deux partenaires. Il arrive parfois que ces connexions s'établissent spontanément dès le moment de la rencontre, mais dans la plupart des cas le couple doit travailler à l'ouverture et au rapprochement des centres d'énergie. Il est à noter cependant que plus nous avons de correspondances «naturelles» avec un partenaire, plus les chances sont grandes de parvenir à l'harmonie intégrale.

Quand deux personnes ont réalisé cette harmonisation de tous leurs chakras, leur relation atteint un degré d'exaltation intense. En effet, partageant la même aspiration à se transformer dans un processus d'évolution similaire, leur compatibilité d'âme est très forte. L'échange d'énergie est ainsi exacerbé à tous les niveaux, émotionnel, mental, spirituel et sexuel. Dans une telle relation, le rapport sexuel devient presque un rituel religieux, une voie permettant au flux d'énergie issu de l'âme de circuler librement dans tout le corps.

7

L'union sexuelle : un miroir inconscient

Au cours des dernières décennies, les psychologues ont démontré à quel point les sentiments inconscients s'exprimaient par le langage du corps, par les attitudes et l'apparence physique générale. Bien souvent, le langage du corps est même plus éloquent que les mots. Lorsqu'un personnage politique parle d'ouverture et de transparence tout en gardant les mains enfoncées dans ses poches ou cachées derrière son dos, on pourra sérieusement douter de la pureté de ses intentions. Les postures du corps et la façon dont elles révèlent nos véritables sentiments ont été analysées en profondeur par Julius Fast dans son livre, « Le Langage du corps », ainsi que dans les travaux du célèbre anthropologue Desmond Morris.

La bioénergie, les techniques de massage en profondeur et de régénération ont clairement établi que le corps emmagasinait les expériences émotionnelles (peurs, traumas, etc.) et que celles-ci avaient une influence certaine dans notre interaction avec le monde. Dans son livre, « Plaisir », Alexander Lowen nous dit que « le corps d'une personne nous en dit long sur son caractère profond. La façon dont elle se tient, son regard, le ton de sa voix, les traits de sa physionomie, l'aisance de ses gestes et leur spontanéité sont autant de facteurs déterminants qui nous indiquent non seulement qui elle est, mais aussi quelle est son attitude face à la vie. »

Cette « mémoire cellulaire » affecte ainsi notre façon de nous tenir, de marcher, notre configuration générale, notre expression physique. En développant les techniques qui nous permettent d'entrer en contact avec la mémoire primitive, nous pouvons d'une certaine manière nous libérer de son influence tout en acquérant une meilleure connaissance de soi.

Le langage du sexe

Le sexe : un niveau de connexion fondamental. En effet, puisque le corps physique est l'instrument de l'expérience directe et le véhicule de l'énergie spirituelle positive, c'est par lui que nous nous rattachons aux divers domaines de la vie terrestre. L'union sexuelle, seule activité où nous utilisions notre corps pour entrer en communication intime avec l'autre, reflète très précisément la façon dont nous acceptons notre condition ainsi que la nature de nos rapports avec l'inconscient. Le comportement sexuel est en quelque sorte le révélateur de nos blocages (physiques et psychologiques). Quelle que soit l'image de nous-même que nous désirons projeter, il dit la vérité. Toute la vérité.

Lorsque nous faisons l'amour, nos émotions cachées se manifestent plus clairement et plus directement qu'en toute autre circonstance. Nous l'avons vu, le sexe engage notre intégralité, crée l'union entre l'esprit, le cœur et les sentiments. Une union si puissante qu'elle est capable d'engendrer la vie. Le principe de l'orgasme étant étroitement lié aux mécanismes musculaires et respiratoires, la fonction sexuelle est une représentation globale de l'être humain, à la fois dans ses rapports avec le monde et avec ses semblables.

Images et relation

Dans la société actuelle, la plupart d'entre nous communiquent au travers de masques. Ces masques servent à projeter une certaine image de nous-même, et cela quels que soient nos véritables sentiments. Selon notre habileté à ce jeu, nous parvenons effectivement dans les circonstances les plus diverses à dissimuler soit l'incompétence et la vulnérabilité, soit des sentiments de colère, de peur, de cupidité. À l'école, dans la vie professionnelle et sociale, nous protégeons bien souvent notre moi profond du regard des autres, maintenant ainsi une impression de pouvoir et de contrôle sur notre existence. Le directeur d'entreprise paraît toujours compétent et responsable ; la mère de famille, patiente et dévouée ; le docteur et l'avocat, consciencieux et honorables, etc. Chacun de nous choisit de présenter au monde une image précise de lui-même. Cette image peut être temporaire dans le cas où elle répond à un défi déterminé. Elle peut également être une fraction permanente et positive de notre personnalité, exprimant alors davantage nos vraies convictions. Quoi qu'il en soit, ces masques ne nous représentent pas dans notre intégralité. Pour certains, la création et l'entretien d'images idéalisées sont une part importante de leur existence. Il est vrai que la société nous encourage dans cette voie. Le mépris qui s'abat sur celui qui tombe brusquement le masque et se met par exemple à pleurer en public illustre bien ce consensus général.

Beaucoup de gens, même dans la plus stricte intimité, continuent de communiquer au travers de masques. Un homme d'affaires qui affiche une confiance en lui à toute épreuve sera tenté de projeter cette même image de lui alors qu'il est au lit avec sa compagne. Pour peu que celle-ci ait besoin de se sentir rassurée et protégée, elle sera tout à fait satisfaite de cette projection. De son côté, elle maintiendra une image de femme accommodante et docile. L'homme se satisfera de ce masque féminin qui valorise à la fois son autorité et sa virilité. On obtient alors une situation où les deux partenaires entretiennent une relation par images interposées.

Il est très frustrant pour un homme de se sentir obligé de projeter une image de mâle volontaire et intrépide, à qui le succès finit toujours par sourire. Cette image est d'ailleurs souvent liée au fait d'avoir un pénis de grande dimension, symbole de puissance par excellence. Lorsqu'un homme s'imagine avoir un petit pénis, il pense alors qu'il n'est pas à la hauteur de cette image qu'il s'efforce de créer et de maintenir. La taille du pénis n'est pourtant pas une preuve de puissance sexuelle. Bien des femmes sont convaincues de cela, mais aucun argument ne semble vraiment rassurer les hommes. Hantés par le spectre de l'impuissance, le moindre échec en matière de performance sexuelle est instantanément associé au fait qu'ils ne sont «pas assez forts», «pas assez performants». L'obsession au sujet de la taille du pénis correspond en fait au poids écrasant de cette image stéréotypée du mâle que l'homme tente d'assumer par tous les moyens.

Quand celui-ci a de la difficulté à maintenir une érection, il exprime par là l'idée qu'il ne contrôle peut-être pas la situation autant que son image courante voudrait le faire croire, ou bien qu'il n'a pas nécessairement envie de «mener la danse» pendant l'acte sexuel. Bien souvent acquise au stéréotype culturel attaché à l'homme, la femme sent instinctivement qu'il y a décalage entre le comportement de son partenaire et l'image virile acceptée. Elle en déduira qu'elle ne peut plus compter sur lui, éventuellement le «punira» en se refusant à lui ou en ne répondant pas à ses désirs. Si, par contre, elle prend conscience du message qu'il lui adresse au travers de son attitude hors norme, elle tentera alors de l'aider. En refusant d'accepter les images stéréotypées de son partenaire, elle établira avec lui une communication plus profonde et plus vraie et lui permettra enfin de manifester davantage sa féminité intérieure (l'Anima). Du même coup, elle aussi peut en profiter pour balayer certains des stéréotypes féminins que la pression sociale lui imposait jusque-là, faire preuve d'un peu plus d'initiative pendant l'acte sexuel sans que son compagnon se sente agressé, oser exprimer ses désirs ou parler de ses expériences passées.

Les hommes – et les femmes elles-mêmes – entretiennent une certaine image de la féminité dont l'influence se fait également sentir sur les comportements sexuels. Les magazines de mode tendent par exemple à nous faire croire que la femme idéale est jeune et mince, qu'elle a des hanches étroites et une généreuse poitrine. Cette image idéalisée représente un impossible défi pour les femmes qui tentent de s'y conformer, car elles doivent à la fois avoir des hanches d'adolescente et des seins opulents, être jeunes et innocentes mais avec la séduction de la maturité.

Excepté quelques actrices et mannequins professionnels, peu de femmes sont effectivement capables d'entretenir cette double image d'adolescence et de volupté. Il leur manque toujours quelque chose. Ou bien elles sont trop grosses, ou bien leurs seins ne sont pas assez développés, leurs cuisses pas assez fermes, etc. Le résultat est que nombre de femmes n'aiment pas leur corps. Elles ne s'acceptent pas telles qu'elles sont parce qu'elles sont persuadées devoir avant tout plaire aux hommes et incarner leur idéal de la féminité. Cette situation engendre la colère et le ressentiment, à l'égard de leur corps, mais aussi à l'égard de l'homme qui partage leur vie. Rarement exprimés directement, ces sentiments sont souvent cause de frigidité.

Il est de la responsabilité de chaque homme et de chaque femme de choisir par eux-mêmes leurs propres critères de séduction plutôt que de se laisser imposer des stéréotypes par la société. Par exemple, pourquoi un homme de plus de quarante ans est-il considéré comme séduisant alors qu'une femme du même âge est supposée ne plus l'être ? Comment se fait-il qu'on attende d'une femme de cinquante ans qu'elle ait les mêmes mensurations et la même couleur de cheveux qu'une femme de trente ans? La virilité d'un homme se mesure-t-elle vraiment à la taille de son pénis? C'est en remettant en question de tels critères que nous pourrons nous faire une idée plus juste de ce qu'est vraiment la beauté. Ce ne sont pas les stéréotypes qui ont besoin d'amour et de compréhension, mais les êtres humains!

La vérité dans la chambre à coucher

Lorsque nous quittons nos vêtements, nous nous révélons sur le plan physique, avec nos défauts et nos qualités. Lorsque nous faisons l'amour, cette «mise à nu» de nous-même va plus loin encore. L'activité sexuelle est en effet une expression de l'être dans son intégralité. De ce fait, nous nous dévoilons également sur les plans psychologique, mental et spirituel. Un homme mesquin, une femme dominatrice trahiront nécessairement cet aspect de leur personnalité dans leur comportement sexuel. Quand nous faisons l'amour, l'inconscient transparaît, ostensiblement parfois ou de façon plus subtile, perceptible pour nous-même et pour notre partenaire. Quelle que soit l'image de soi que l'on projette dans la vie courante, notre comportement sexuel révèle ce que nous sommes véritablement.

Nous avons malheureusement tendance à négliger la portée de ces messages. La plupart des gens s'aperçoivent en général que quelque chose ne va pas dans leur couple lorsque le problème est devenu suffisamment grave pour bouleverser leur style de vie. Il est pourtant très probable que ledit problème se soit manifesté bien auparavant à travers leur sexualité. Il est donc essentiel de comprendre ce langage et d'interpréter les informations qu'il nous donne sur nous-même et, plus globalement, sur le couple que nous formons avec notre partenaire.

Le sexe est en quelque sorte un baromètre qui enregistre nos émotions et les reproduit à travers notre comportement intime avec l'autre. Les relations sexuelles elles-mêmes ne représentent certes qu'une partie du réseau relationnel qui nous unit à notre partenaire. Une vision claire de notre mode de fonctionnement en ce domaine peut cependant nous permettre de mieux comprendre notre façon de communiquer à tous les autres niveaux.

Avant de parler des problèmes sexuels spécifiques à un individu, il est important d'avoir une vue objective du couple et du rapport énergétique inconscient existant entre les deux partenaires. Il faut parfois un certain temps avant qu'une relation s'harmonise. Il peut arriver que lors des premiers rapports sexuels, l'homme soit sujet à des éjaculations précoces ou que la femme ait des difficultés à atteindre l'orgasme. Il est bien sûr souhaitable d'être conscient de ces problèmes et de les affronter avec lucidité, mais on ne doit pas non plus s'en inquiéter outre mesure à partir du moment où, par ailleurs, la relation évolue de façon satisfaisante.

Lorsque toutefois le problème est chronique – l'homme ou la femme ayant connu les mêmes difficultés lors de liaisons précédentes – il s'agit alors davantage d'un conflit individuel qu'il faudra s'attacher à comprendre et résoudre.

Interaction et frustration

Le comportement sexuel est un facteur important pour déterminer la nature véritable des sentiments que l'on éprouve pour nos partenaires. Lorsqu'une personne ne répond pas à notre attente, consciemment ou inconsciemment nous nous en apercevons rapidement. Bien souvent, nous refusons de regarder les choses en face et essayons de nous convaincre que tout va bien. Reste cependant qu'à un niveau plus profond, l'on se sent frustré et trahi. Ce sentiment de manque finit toujours par se manifester dans notre comportement vis-à-vis de notre partenaire.

La dimension physique d'une relation étant le fondement des rapports émotionnels, intellectuels et spirituels, lorsque celle-ci n'est pas exprimée à l'intérieur du couple, il y a déséquilibre général que même une forte complicité sur l'un des autres plans ne saurait compenser. Un architecte ne peut édifier un bâtiment sur un sol instable. Les fondations doivent être capables de supporter la structure. Il en est de même pour une relation. Si le niveau de base présente des déficiences – blocages d'énergie ou problèmes liés à la sexualité – c'est l'ensemble de la liaison qui sera compromise.

Bien souvent, lorsqu'un couple traverse ce genre de difficultés, l'un ou l'autre des partenaires désire malgré tout maintenir la relation et invoque alors des prétextes tels que : « Je l'aime vraiment » ou : « Elle a tellement besoin de moi », parfois même : « Il n'y a pas que le sexe dans la vie. » Les personnes qui utilisent ce dernier argument sont justement celles qui, comme par hasard, ont de sérieux problèmes sexuels auxquels elles se sont toujours refusées à faire face. En règle générale, les dérèglements sexuels sont en fait l'illustration d'autres troubles du comportement qui nuisent aussi bien à l'individu en particulier qu'au couple lui-même.

On ne reste pas impliqué dans une relation douloureuse sans une bonne raison, sans qu'à tel ou tel niveau – souvent imperceptible pour l'observateur extérieur – elle ne nous soit profitable.

George a été abandonné par sa mère dans sa prime enfance. Expérience malheureuse qui développa en lui une méfiance quasi viscérale à l'égard des femmes. Parvenu à l'âge adulte, sa vie sentimentale se révéla catastrophique. Toutes les femmes avec lesquelles il se liait lui étaient infidèles ou bien se montraient mesquines et cruelles. Malgré cela, ce n'était jamais lui qui provoquait la rupture. Comportement masochiste, dirait-on à première vue. Le traumatisme causé par la non-reconnaissance maternelle ayant faussé ses valeurs affectives, ses relations avec les femmes ne pouvaient être que source de douleur et de déchirement. La psychothérapie révéla cependant l'existence de facteurs plus complexes pour expliquer la situation. Il est vrai néanmoins que George s'attend à ce que les femmes le fassent souffrir. En fait, jusqu'à ce qu'il en décide autrement, il continuera à chercher des partenaires susceptibles de confirmer sa théorie. La douleur est-elle vraiment nécessaire ? À ce sujet, il est important de comprendre que notre système de croyances actuel repose sur le concept selon lequel tout ce qu'il y a de bon en nous, nous le devons à la souffrance. Pas de croissance positive qui n'ait la douleur pour racine. Au stade actuel de son évolution, l'homme ne peut s'accomplir qu'à travers la souffrance et le trauma. Dans les temps futurs, c'est par l'observation et la reconnaissance qu'il y parviendra. Mais revenons au cas qui nous intéresse... Après une suite de liaisons malheureuses, George rencontra Diana, une femme équilibrée et bien dans sa peau. Ils ressentirent une affinité immédiate l'un pour l'autre et commencèrent à se voir régulièrement. George désirait lui ouvrir son cœur mais la crainte d'être à nouveau meurtri, ajoutée à son manque de confiance, l'en empêchaient encore. Comme pour la décourager et confirmer sa fameuse théorie selon laquelle les femmes le rejetaient, il lui expliqua qu'elle n'avait vraiment pas de chance, qu'elle était tombée sur le mauvais numéro, qu'il était tellement plein de problèmes, etc. Mais, à sa grande surprise, Diana ne mordit pas à l'hameçon. Non seulement elle ne le quitta pas, mais elle sembla même l'apprécier encore davantage qu'avant. George commença alors progressivement à accepter l'idée qu'il n'avait plus besoin d'être torturé par les femmes et qu'il venait d'en rencontrer une qui n'avait aucune intention de le faire souffrir. Enfin débarrassé de cette croix qu'il portait depuis l'enfance, il pouvait maintenant commencer à vivre vraiment. S'il s'était si longtemps infligé un tel supplice, c'est parce qu'il devait faire la lumière sur la peur qui l'habitait et se confronter à lui-même. La nécessité de changer de direction lui était alors apparue. Tout ce processus consistait à le mener à la prise de conscience.

Tout comme les symptômes qui permettent de déceler les désordres fonctionnels du corps, les problèmes relationnels révèlent l'existence de troubles plus profonds. Plus nous sommes averti de cela, plus nous serons capable de nous sortir des situations douloureuses pour accéder à une nouvelle lucidité et à une plus grande liberté.

Parmi les troubles sexuels les plus communs, nous trouvons la frigidité, l'éjaculation précoce, l'éjaculation retardée. Ces troubles sont différents pour les hommes et pour les femmes bien que les issues psychologiques soient sensiblement les mêmes. L'appareil génital masculin étant tourné vers l'extérieur, ses problèmes sexuels seront davantage extériorisés que ceux de la femme. Lorsqu'une femme fait l'amour sans ressentir d'excitation, elle peut feindre le plaisir et l'orgasme, alors que dans la même situation, l'homme est tout bonnement incapable d'obtenir une érection.

Frigidité : la femme indisponible

Lori est une jeune femme chaleureuse, pleine de sensibilité. Elle est fidèle en amitié et attentive au bien-être des siens. Apparemment, elle semble heureuse dans la vie et satisfaite de ce rôle de personne bienveillante, patiente et généreuse. Apparemment seulement... Car au plus profond d'elle-même cette image d'altruiste qui paraît ne pas avoir de désirs propres l'irrite au plus haut point. En fait, elle avait adopté cette attitude depuis son enfance, afin de gagner l'approbation de ses parents. Puis, sans qu'elle s'en aperçût, l'image de la « gentille petite fille » était devenue avec le temps une part essentielle de sa personnalité. Lori n'est malheureusement pas consciente du rôle qu'elle joue ni de l'incidence qu'il peut avoir sur sa relation avec son mari, Daniel, avec lequel elle est incapable d'atteindre l'orgasme. Tous deux sont très troublés par ce problème, d'autant plus qu'à tous les autres niveaux, leur couple est une réussite. Lori prétend qu'elle veut avant tout faire plaisir à Daniel, mais son insatisfaction sexuelle cache une tout autre raison.

Le ressentiment et la colère refoulés sont très souvent des facteurs de frigidité sexuelle chez la femme. Les partenaires concernés par ce problème se contentent en général de l'expliquer par le fait que la femme a besoin de longs préliminaires – attouchements et stimulations divers – pour atteindre un degré d'excitation qui lui permette de jouir lors de l'accouplement. Il arrive aussi que l'on évoque certains stéréotypes culturels : l'orgasme féminin serait accessoire alors que celui de l'homme serait fondamental. Ou encore : biologiquement, l'homme aurait des pulsions sexuelles plus impérieuses que celles de la femme. Mais toutes ces rationalisations ne font que masquer la réalité des choses. De plus, la recherche scientifique nous a récemment prouvé l'irrecevabilité de tels arguments.

En fait, ce que la femme essaie de dire à l'homme à travers sa frigidité, c'est : « Je ne suis pas encore en mesure de m'offrir à toi, d'être aussi ardente et passionnée que tu le souhaiterais. » Ou bien : « Je ne me sens pas assez en sécurité auprès de toi – tu ne satisfais pas mes désirs – mais je n'ai pas le courage d'affronter la situation. » À l'instar de Lori, beaucoup de femmes ne prêtent pas suffisamment attention à ces messages issus de l'inconscient et s'inventent toutes sortes d'explications ou de justifications aussi douteuses les unes que les autres. La frigidité peut avoir d'autres causes plus profondes : abus sexuels ou traumatismes infantiles entraînant des sentiments de colère ou de peur à l'égard des hommes.

Pour certaines femmes qui se sentent inutiles dans

la vie, sans pouvoir de décision ou d'action, la non-disponibilité sexuelle ou l'incapacité à jouir peut représenter une sorte de prise d'autorité sur son partenaire. Elle lui dira : «Chéri, je ne sais pas ce qui se passe. J'essaie vraiment», alors qu'au fond d'elle-même, une autre voix silencieuse dira : «Tu me contrôles peut-être financièrement et socialement, mais au lit c'est moi qui décide! Je te laisse faire ce que tu veux, mais tu ne m'obligeras pas à aimer ça ou à ressentir quoi que ce soit. C'est ma revanche!» En d'autres termes, elle compense son sentiment d'inutilité en se refusant à elle-même et à son partenaire l'accès au plaisir.

Dans un cas comme celui-là, la femme se désintéresse bien souvent des rapports de pouvoir qui se présentent à elle, que ce soit à l'intérieur du couple ou dans sa vie personnelle. Le fait de batailler ou de prendre des responsabilités dans un contexte autre que celui de la chambre à coucher prend l'allure d'une menace. Peut-être manque-t-elle de confiance pour s'en croire capable. En même temps, parce qu'elle sent qu'elle ne vit pas pleinement sa vie, cette situation provoque en elle une profonde rancœur. Les femmes qui utilisent le sexe comme une punition ou comme moyen de pression souffrent généralement d'une incapacité à exprimer leur compétence dans tel ou tel domaine. Incapacité qui révèle un conflit avec leur Animus.

Quelle qu'en soit la véritable raison, la frigidité de la femme finit toujours par gravement altérer l'équilibre du couple et modifier les attitudes de chacun des partenaires à l'égard de l'autre. Qu'il le veuille ou non, l'homme n'aura plus tout à fait les mêmes sentiments pour sa compagne. La frustration le mènera à la colère, aux disputes, une réaction qui ne fera qu'aggraver la situation et nourrir le processus punition-privation.

Très fréquemment, il cessera simplement de désirer sa partenaire, s'efforçant – ou non – de donner le change. Si, pour diverses raisons, la relation se maintient malgré tout, un contrat tacite sera alors établi disant à peu près : « On ignore le problème. » Les rapports sexuels se feront de plus en plus rares jusqu'à presque disparaître, un peu comme un mauvais souvenir que le couple tente d'oublier. Il est cependant très probable que la frustration finira par faire surface dans un autre domaine et qu'il faudra tôt ou tard affronter la réalité.

Autre cas de figure : la relation se maintient effectivement mais l'homme va satisfaire ses désirs ailleurs. Il se justifie : « J'ai des besoins que ma femme ne peut satisfaire. Je ne veux pas l'obliger à faire l'amour. » Il arrive également que ce soit la femme qui aille chercher son plaisir en dehors du couple. Parce qu'elle n'a pas l'intention de quitter son partenaire, ses liaisons sont éphémères, purement physiques. Elle se justifie auprès de lui : « Tu ne peux me faire jouir mais d'autres que toi y arrivent. » Lorsque l'on s'implique dans ce type de relations pour pallier les défaillances de l'un ou de l'autre, on ne fait que détourner le problème. De plus, que deviennent les valeurs d'honnêteté et de loyauté sans lesquelles l'union entre deux êtres ne saurait atteindre sa dimension spirituelle ?

Il peut se produire que la femme souffre de vaginisme, c'est-à-dire d'une tension musculaire avec contraction empêchant ou gênant la pénétration. Comme la frigidité, ce problème est souvent lié à la peur qu'inspire l'homme, sa force étant alors perçue comme destructrice et négative. Cette appréhension est projetée sur tout partenaire, aussi doux et délicat puisse-t-il être. Une femme atteinte de vaginisme s'imagine que le pénis va la meurtrir, la déchirer. Cette hantise est fréquente chez les personnes ayant subi des sévices sexuels dans leur enfance. Elle peut également être associée à la crainte de perdre tout contrôle sur sa vie en s'unissant avec un homme.

Les troubles sexuels tels que l'orgasme prématuré et le vaginisme doivent être pris en considération par le partenaire masculin. L'attitude consistant à dire :

« C'est son problème, pas le mien » en dira long sur sa conception de l'harmonie au sein du couple !

L'orgasme inhibé

Bien que ce problème soit a priori essentiellement féminin, les hommes font également l'expérience d'orgasmes partiels ou incomplets. La jouissance accomplie est une émotion puissante, excitante et profonde irradiant à la fois le corps et les sens. Outre le fait qu'elle libère une formidable quantité d'énergie, elle place les deux partenaires en osmose parfaite, pouvant même parfois leur faire éprouver une émotion spirituelle.

Cette extraordinaire expérience, bouleversante et transcendantale pour certains, est cependant ressentie par d'autres comme une simple sensation agréable dont le point culminant correspond à une décharge d'énergie modérée. Il est évident qu'une telle appréciation de l'orgasme ne peut qu'entraîner frustration et déception.

C'est précisément ce qui se passe souvent pour Carla, ravissante jeune femme de vingt-cinq ans dont la vie sexuelle paraît pourtant tout à fait satisfaisante. En fait, elle atteint l'orgasme au moins une fois lors de chaque rapport et n'a aucune peine à procurer un intense plaisir à son partenaire. Elle tire même une certaine fierté de son sex-appeal. Mais, curieusement, au summum de la jouissance la sensation qu'elle éprouve est très modérée et la laisse inassouvie.

Lorsque l'on est incapable d'avoir un orgasme pleinement satisfaisant, plusieurs facteurs peuvent entrer en jeu. Les causes majeures d'inhibition en ce domaine sont les blocages d'énergie situés au niveau des chakras. Ces blocages, on l'a vu précédemment, se forment la plupart du temps durant l'enfance et sont dus à des sentiments refoulés (colère, peur, chagrin, douleur). Beaucoup de ces blocages se manifestent par la suite dans notre comportement sexuel. La honte ou l'humiliation causées par certaines violences physiques ou émotionnelles sont parmi les traumatismes les plus courants dont nous subissons les effets sur notre sexualité.

Notre partenaire, s'il est réellement en phase avec nous, peut nous aider à résoudre ces blocages d'énergie, à ouvrir nos chakras. Mais nous devons également travailler individuellement sur leurs causes profondes, soit par des méthodes de relaxation, soit par des séances de massage appropriées. Dans certains cas, la thérapie bioénergétique est recommandée afin de mener une action simultanée sur les blocages physiques et les circonstances qui les ont amenés et maintenus en place.

L'orgasme est parfois assimilé à une sorte d'auto-annihilation, une perte de pouvoir et de contrôle de soi, l'ego étant subjugué par la spontanéité de l'instinct. Si l'individu n'a pas acquis un sens développé de son identité, cette perte de contrôle peut s'avérer terrifiante. Imaginons que nous projetions sur le monde une image de nous-même qui ne reflète que partiellement notre vraie nature... Pour une femme, l'image du sacrifice de soi et de l'abnégation au profit de l'homme ; pour un homme, celle d'une gentillesse et d'une patience inaltérables à l'égard du sexe opposé. La peur de perdre ces images idéalisées de leur ego suffira, dans certains cas, à exercer une action d'inhibition sur l'orgasme naturel.

Les personnes pour qui l'orgasme partiel est quasi chronique sont d'ordinaire soumises à l'influence de deux courants. Bien souvent, la femme aura une image négative d'elle-même. Elle n'associe pas à son Anima les vertus positives de bonté, de puissance et de discernement. Simultanément, elle redoute les aspects dominateurs de son Animus et projette cette perception faussée de son homme intérieur sur son partenaire. De la même façon, l'homme aura fréquemment les plus grandes difficultés à intégrer les traits positifs de sa nature masculine – dynamisme, autorité – et s'enfermera dans leurs contreparties négatives – agression, violence. Au lieu d'analyser et de confronter ces images de lui-même, il craint que toute cette négativité ne surgisse brutalement pendant le relâchement psychique qu'implique l'acte sexuel. En même temps, il redoute sa femme intérieure, qu'il perçoit soit faible et passive, soit castratrice et destructrice. Parce qu'il ne sait pas – ou ne veut pas – démêler ces images contradictoires et affirmer sa personnalité, son réflexe est alors de se fermer purement et simplement à cette puissante expérience que procure l'orgasme.

Éjaculation précoce et impuissance : l'homme indisponible

Lorsque nous sommes en colère contre notre partenaire – consciemment ou inconsciemment – rien de plus facile que de le punir pendant l'acte sexuel (et je ne fais pas allusion aux tendances sadiques et masochistes, quoiqu'elles puissent parfois intervenir). La chambre à coucher est en effet l'endroit où nous sommes le plus vulnérable, le plus à la merci de l'autre.

Chez les hommes, les sentiments de colère se manifestent souvent par une éjaculation précoce. Quand celle-ci est chronique, elle trahit une rancune, une déception ou une frustration non formulée. L'éjaculation précoce est en fait l'une des formes de l'impuissance. Comme celui qui ne peut tenir une érection, l'éjaculateur précoce se trouve dans l'incapacité de donner à sa compagne l'occasion d'atteindre l'orgasme pendant l'accouplement. Dans les deux cas le résultat est le même pour la femme : frustration et sentiment d'échec.

L'éjaculation précoce se produit lorsque l'homme parvient à l'orgasme avant d'être véritablement en condition. D'après Kinsey, c'est le problème sexuel le plus répandu chez les hommes, soixante-quinze pour cent d'entre eux environ éjaculant moins de deux minutes après la pénétration. Bien qu'il soit impossible – et arbitraire – d'indiquer la durée précise entre pénétration et orgasme, on s'accorde cependant à penser qu'entre cinq et quinze minutes est une estimation raisonnable.

Pour Alexandre Lowen, l'éjaculation précoce est «la riposte sexuelle d'un homme anxieux placé dans une situation tendue». Cette tension peut être le fait de sa crainte d'être sexuellement rejeté par la femme, ou de ne pas arriver à la satisfaire.

L'éjaculation précoce est souvent pour l'homme une façon d'éviter l'intimité prolongée ou l'engagement dans une liaison. Jusqu'à un certain point, elle révèle également qu'il ne se sent pas à la hauteur de sa partenaire. Il est incapable de faire durer un contact intime, persuadé qu'elle finira par le repousser. Bien évidemment, cette peur se concrétisera éventuellement pour l'éjaculateur précoce car, en frustrant la femme de son plaisir, il crée lui-même une situation de rejet. L'homme peut bien se rendre responsable du problème, il devrait cependant s'interroger honnêtement sur les bénéfices qu'il en tire, tels que pouvoir de contrôle sur sa partenaire et distance émotionnelle. Il lui appartient de considérer les vraies raisons de l'orgasme prématuré puis de les intégrer à sa conscience.

Len était un éjaculateur précoce. C'est sa partenaire, Sarah, qui est venue me consulter. Frustrée et perturbée par la situation, elle était toutefois incapable de comprendre ce qui n'allait pas. Len lui tenait à peu près ce langage : «N'attends rien de moi. Je ne pourrai pas assouvir tes désirs. J'arriverai tant bien que mal à assouvir les miens, mais c'est tout.» Par l'orgasme prématuré et le fait de rester si peu de temps dans le sexe de Sarah, Len exprimait sa peur d'être en contact intime avec elle. En fait, si l'on approfondissait, ce qu'il redoutait vraiment, c'était l'engagement sentimental.

Le message apparent de Len était : «Je n'y peux rien. Je suis un incapable.» Message auquel la plupart des femmes répondaient par : «Le pauvre chéri. Ce doit être terriblement embarrassant pour lui d'être un éjaculateur précoce !» Toutefois, derrière les apparences, derrière la constatation fataliste d'incompétence sexuelle, Len dissimulait la véritable raison de sa non-participation. Dans bien des cas, l'homme choisit en effet la solution de l'orgasme prématuré afin de masquer soit une certaine hostilité à l'égard des femmes en général, soit sa volonté de rester libre de tout engagement. L'éjaculateur précoce possède généralement un côté féminin très prononcé qu'il redoute de voir prendre trop d'ascendant sur lui. Par réaction à cette menace intérieure, il refuse alors de s'abandonner dans ses relations avec les femmes et reste pour ainsi dire «sur le seuil».

Il est important de traiter à deux le problème de l'orgasme prématuré chronique, de l'affronter sans chercher de faux-fuyants et d'en discuter ouvertement. Le simple fait de parler avant de faire l'amour peut considérablement soulager l'anxiété de l'homme quant à sa capacité à satisfaire sa compagne.

Simultanément, la femme doit déterminer sa part de responsabilités. Lui arrive-t-il de faire l'amour à contrecœur ? L'acte sexuel représente-t-il pour elle une conquête de l'autre ? Fait-elle sentir à son partenaire qu'elle attend de lui non pas une étreinte mais une performance ? Essaie-t-elle toujours d'imposer sa loi au lit ?

Éjaculation retardée : endurance et châtiment

Cette situation est à l'opposé de la précédente. L'homme se maintient en état d'érection mais ne parvient à éjaculer que très longtemps après la pénétration. Lorsqu'il y a éjaculation, celle-ci n'est pas le résultat naturel d'un état d'excitation mais est plutôt due à l'épuisement physique. Les hommes affectés de ce problème sèment le doute chez leur partenaire féminine. «Quoi que je fasse, ce n'est jamais assez», pense-t-elle. Elle se sent incompétente, s'imagine qu'elle n'est pas assez excitante pour lui ou qu'elle ne fait pas ce qu'il attend d'elle.

Cette situation est éreintante à la fois physiquement et psychologiquement pour la femme. Car l'homme lui inflige une véritable punition en lui demandant de littéralement s'épuiser afin de le satisfaire.

Tout comme l'éjaculation précoce, une telle attitude implique des sentiments de colère ou de déception sous-jacents à l'égard de la femme. En retenant son orgasme, l'homme semble dire : « Tu m'aimes quand je suis dur ? Eh bien, voyons combien de temps tu peux supporter ça ! » En fait, il utilise le sexe pour exprimer sa colère et son hostilité au lieu d'assumer ses sentiments de manière directe.

Elissa avait beaucoup d'affection pour Roger, un garçon gentil et attentionné. Seul problème, il n'arrivait jamais à éjaculer. Elle faisait tout ce qui était en son pouvoir pour ça, mais en vain. Leurs rapports sexuels avaient des allures de concours d'endurance.

L'éjaculation retardée masque bien souvent un certain nombre de demandes à l'égard du partenaire féminin. L'homme ne dit pas seulement : « Je vais prendre ce que je veux de toi », mais aussi : « Je vais te faire faire ce que je veux. » Cette tendance dominatrice peut généralement être décelée à d'autres niveaux de la relation. L'homme veut être obéi. Sous des dehors parfois généreux et réservés (qu'on ne s'y trompe pas !), il emploie en fait une bonne partie de son énergie à régner sur son entourage.

Qu'il s'agisse d'éjaculation précoce ou retardée, il y a une volonté de prendre ses distances par rapport à la femme tout en lui infligeant un châtiment. Car, d'une part, elle n'obtient aucune satisfaction personnelle et, d'autre part, en s'efforçant de satisfaire son partenaire, elle n'y gagne qu'un sentiment de frustration et d'échec. Que l'homme jouisse trop vite ou ne jouisse pas du tout, elle se sent à la fois flouée et humiliée.

Dans les deux cas, le problème a pour cause essentielle une attitude faussée de l'homme par rapport à sa femme intérieure, son Anima. L'éjaculation précoce indique un côté féminin très prononcé mais non assimilé et l'éjaculation retardée un côté masculin tyrannique exploité négativement. Ces deux comportements extrêmes placent l'homme dans une position très inconfortable en regard de sa nature féminine, comme s'il voulait ne rien avoir à faire avec elle.

La présence affirmée d'une Anima est bien souvent une menace pour l'homme. Il craint que, s'il la laisse s'exprimer, elle ne l'entraîne dans le «piège» de la bisexualité. Terrifiés par une telle éventualité, beaucoup d'hétérosexuels font alors tout ce qui est en leur pouvoir pour la réprimer. Mais ils n'éluderont pas le problème pour autant car les facteurs inconscients ont cette particularité de surgir devant nous lorsqu'on fait l'amour. Le refoulement systématique de la femme intérieure (par hantise de la bisexualité, de l'homosexualité) risquera ainsi de venir gravement perturber l'équilibre sexuel. Doutant brusquement de sa propre hétérosexualité, l'homme commencera en effet à douter de ses capacités mêmes à satisfaire sa partenaire. Il remettra sa virilité en question. Autant de choses qui ne jouent pas en faveur de l'harmonie et de la complicité entre l'Animus et l'Anima.

L'individu souffrant d'éjaculation précoce ou qui parvient difficilement à l'orgasme se montre fréquemment charmant et agréable envers les femmes, attitude inconsciente destinée à déguiser son hostilité à leur endroit. Les femmes sont confondues : «Pauvre chéri. Ce n'est sûrement pas drôle pour lui et je sais qu'il fait de son mieux. Et puis il est tellement gentil avec moi dans plein de domaines !» Elles rationalisent également son comportement : «Les autres femmes l'ont tellement mal traité !» De cette manière, aucun des deux partenaires ne prend la responsabilité d'entendre le vrai message, celui de la femme intérieure de l'homme qui réclame un minimum d'attention.

Infidélité : échange de partenaires

Les personnes qui préconisent l'échange de partenaires amoureux se justifient généralement en proclamant qu'elles sont «libérées», qu'il est temps de renverser les tabous et d'échapper aux stéréotypes archaïques de monogamie et de respectabilité. L'amour libre leur procure de nouvelles expériences et «c'est tout de même plus drôle et plus excitant, disent-elles, que de toujours faire l'amour avec la même personne».

L'échangisme peut se pratiquer à la fois individuellement (chacun de son côté) et en couple. Le mari désirera davantage sa femme après qu'elle a fait l'amour avec un autre homme. L'épouse trouvera la même source d'excitation dans le fait que son mari ait une liaison sexuelle avec une étrangère. Sur le plan psychologique toutefois, une telle pratique ne peut que mener à l'humiliation réciproque. Malgré leur prétendu non-conformisme, leur sexualité libérée, les échangistes semblent dire à leur compagnon ou leur compagne : «Tu ne suffis pas à me satisfaire comme tu es. Tu ne m'excites pas assez.» S'ils prennent vraiment plaisir à s'humilier mutuellement, leur relation est susceptible de durer, les rapports négatifs étant parfois tout aussi séduisants et attachants que les rapports positifs. Dans certains cas, la douleur résultant de la dégradation réciproque du couple peut s'avérer une expérience instructive et nécessaire, apte à déclencher une prise de conscience.

John suggéra un jour à Claire de changer de partenaire. Bien qu'a priori hostile à cette idée, elle finit par accepter. Plus tard, se sentant trompée et abusée, Claire vint me consulter. Son expérience lui avait en effet ouvert les yeux sur la vraie personnalité de John qui, sous le prétexte d'être quelqu'un de «libéré», avait profité de la situation pour la tourner en ridicule. Elle connaissait déjà sa tendance à se moquer d'elle ou à la critiquer en public, mais le fait de coucher avec un autre homme sur sa demande lui fit vraiment comprendre – chose qu'elle s'était jusque-là refusé d'admettre – de quelle façon lamentable il la traitait. Après tout, si elle devait avoir une liaison en dehors du couple, c'était à elle de décider. Car, en prenant la décision à sa place, John l'humiliait et prouvait qu'il avait sur elle un contrôle absolu. Lorsqu'on examine ses motivations cachées, on se rend alors compte que John, de son côté, prenait une autre partenaire sexuelle afin d'exhiber sa force et dégrader sa femme intérieure. Très créatif, il éprouvait en effet de grandes difficultés à s'affirmer dans la sphère masculine du succès. Psychologiquement, il se sentait virilement inadapté et n'arrivait pas à intégrer son Anima. Au lieu d'affronter ce conflit directement, il avait choisi de le projeter sur sa compagne et de lui faire jouer les rôles les plus avilissants. Claire n'eut d'autre choix que de mettre fin à cette relation malsaine. Ce qu'elle fit.

Infidélité : tricherie

Lorsque l'on choisit d'avoir des aventures extraconjugales, c'est soit par ennui, soit parce qu'on ne veut pas accepter une certaine vérité, soit à cause de problèmes d'incompréhension ou de désengagement.

L'ennui : Lorsqu'une relation est uniquement fondée sur une connexion des chakras inférieurs et n'implique ni le cœur ni l'esprit, l'un ou l'autre des partenaires (ou les deux à la fois) ressentira immanquablement un manque de stimulation intellectuelle et émotionnelle. À l'inverse, un couple peut avoir une grande affinité au niveau des chakras supérieurs mais, parce que l'un des partenaires éprouve un blocage dans les chakras inférieurs, la relation est sexuellement «en sommeil». L'ennui et la frustration peuvent dans les deux cas pousser l'homme ou la femme à chercher satisfaction ailleurs plutôt que d'affronter ouvertement la situation.

Non-acceptation de la vérité : Tout indique que la

liaison amoureuse est parvenue à son terme, pourtant aucun des deux partenaires ne veut s'y résigner. Au lieu d'assumer franchement l'inévitable séparation, ils repoussent sans cesse l'échéance, l'infidélité représentant alors une sorte d'échappatoire.

L'incompréhension ou le désengagement émotionnel : Il y a déséquilibre au sein du couple. Trop de passion d'un côté, trop de zèle amoureux. On juge que l'autre n'est pas assez affectueux, pas assez épris. Par crainte de ne plus pouvoir maîtriser ses sentiments et de devenir trop dépendant de son ou de sa partenaire, on s'investit ailleurs. C'est une sorte de vengeance qui pourrait se formuler ainsi : « Tu ne veux pas me répondre. Eh bien, je vais trouver quelqu'un qui parle le même langage que moi ! »

Comme je l'ai déjà évoqué, l'engagement responsable et la confiance sont indissociables d'une relation amoureuse positive orientée vers la croissance mutuelle. Qu'une liaison soit durable ou non, elle doit servir de catalyseur pour notre évolution personnelle. Il est donc important, essentiel même de vivre chacune d'entre elles – quelle que soit sa durée – en étant conscient de cela.

Bien que l'infidélité puisse parfois représenter une étape vers la découverte de soi et l'ouverture sur les autres, elle n'est jamais une solution à nos problèmes. À l'image d'autres perturbations sexuelles – éjaculation prématurée ou impuissance – elle indique la présence d'un trouble profond que nous devons nous attacher à résoudre, individuellement d'abord, puis avec l'aide de notre partenaire.

Le sexe est effectivement le baromètre de toute relation amoureuse. Si nous voulons vraiment savoir où en est notre couple et vers quoi il se dirige, observons notre propre comportement sexuel et celui de notre partenaire. Restons également vigilants. Aussi désagréable soit-elle, regardons la vérité en face au lieu de nous inventer des rôles et de nous jouer la comédie.

Le désir est en perpétuelle transformation. Il est

sujet à toutes sortes de variations et d'influences (physiques et psychologiques). Ce qui nous excite aujourd'hui nous excitera peut-être moins demain. La vie sexuelle est le miroir du couple. Elle reflète ce qu'il est en profondeur et, permettant une véritable introspection, donne aux deux partenaires les moyens de travailler à leur évolution. L'essentiel est de rester ouvert et disponible, de se respecter soi-même et de respecter l'autre.

TROISIÈME PARTIE

L'UNION SEXUELLE

8

Le badinage et l'humour

La médiatisation excessive de sujets tels que la prétendue « guerre des sexes », la sexualité plus ou moins « performante », plus ou moins « libérée », a tendance à nous faire oublier l'aspect ludique et joyeux indispensable au bon équilibre d'une liaison amoureuse. L'esprit de jeu au sein d'une relation est trop souvent méprisé ou ignoré, et c'est bien à tort. Il serait temps de remettre les pendules à l'heure et d'éclairer ceux qui se demandent aujourd'hui ce qui est approprié dans une relation moderne. L'humour a-t-il un rôle à jouer dans la sexualité ? La taquinerie est-elle une preuve d'hostilité ou plutôt de complicité ? Est-ce un signe d'immaturité que de « faire l'enfant » pour attirer l'attention de notre partenaire ? Les manifestations de tendresse publiques sont-elles néfastes ou au contraire nécessaires ?

Avant de commencer à répondre à ces questions, essayons de définir ce qu'est l'humour...

Dans son sens le plus large, l'humour est « un certain type de stimulation qui tend à provoquer le réflexe libérateur du rire ». L'humour verbal s'exprime à travers des calembours, des jeux de mots ou des histoires inventées. L'humour se moque souvent ou exagère des situations jusqu'à les rendre risibles. La plupart du temps, l'effet comique est provoqué par la surprise, l'inattendu. L'humour nous surprend.

Étymologiquement, l'humour vient du latin «humor» signifiant «fluide», «liquide». On pensait autrefois que l'être humain était composé de quatre substances liquides, ou «humeurs», qui déterminaient son état psychologique, l'équilibre idéal consistant dans une juste proportion de ces quatre humeurs – la jaune, la noire, le sang, le flegme.

Si l'humeur jaune prédominait, l'individu avait un comportement «colérique», agressif et violent. Si l'humeur noire l'emportait sur les autres, la mélancolie l'envahissait. Les personnes de nature optimiste et joyeuse étaient supposées être d'humeur «sanguine», les «flegmatiques» léthargiques et lents d'esprit. Les Grecs anciens pensaient que la discordance des quatre humeurs correspondait à une dégénérescence par rapport à l'état «édénique» et que le rire était susceptible de rétablir l'équilibre d'origine.

Lorsque l'on parle d'humour et de badinage, il faut faire une distinction entre l'humour sarcastique et mordant qui peut blesser et l'humour taquin, positif, qui réjouit et réchauffe le cœur. Selon le lama tibétain Chogyam Trungpa Rimpoché, l'humour ne consiste pas à raconter des plaisanteries ou critiquer les autres en se riant d'eux : «Le vrai sens de l'humour, écrit-il, effleure délicatement les choses. Il ne s'agit pas de rouer de coups la réalité, mais de l'apprécier avec légèreté.»

L'humour a toujours été ressenti comme une nécessité. On le rencontre dans les plus anciennes traditions orientales et occidentales et chez la plupart des peuples primitifs. Les Indiens d'Amérique du Nord le considéraient comme sacré et indispensable à l'homme pour l'aider à accomplir son parcours terrestre. Les clowns jouaient un rôle essentiel dans leur vie spirituelle, en tant que guérisseurs, guides, négociateurs et éducateurs. Trop de pouvoir et trop de sérieux, pensait-on alors, avaient pour résultat de créer toutes sortes de déséquilibres dans la vie sociale, politique et spirituelle de la tribu. Grâce à leurs plaisanteries, leur satire des événements et leurs traits d'esprit, les clowns donnaient aux hommes le sens de l'autodérision et aidaient ainsi à maintenir l'harmonie au sein de la communauté.

L'humour nous permet en effet de sortir d'un certain confinement intellectuel. Il nous fait voir la vie d'une autre façon, remet en cause nos préjugés, combat les tensions nerveuses et les inhibitions. Écoutons encore Chogyam Trungpa Rimpoché :

> « Le sens de l'humour nous donne à voir les deux pôles d'une situation comme ils sont réellement. Il y a le bon et le mauvais et l'on peut considérer les deux à la fois avec une vision panoramique… L'humour semble provenir d'une joie qui pénètre tout, une joie qui a la possibilité de se déployer à l'intérieur d'une situation complètement ouverte parce que justement elle n'est pas impliquée dans un quelconque antagonisme entre "ceci" et "cela". »

Beaucoup de personnes absorbées dans la recherche de la connaissance ont souvent tendance à oublier qu'il est bon de savoir rire de soi-même de temps à autre. L'humour relativise nos soucis et allège notre fardeau de responsabilités. Il nous aide à conserver notre jeunesse d'esprit et notre bonne santé.

L'humour saisit l'ironie naturelle de la vie. Il nous met en face de nos faiblesses et de notre faillibilité. Comme la tragédie, il est universel parce qu'en contact étroit avec les problèmes existentiels. Mais, alors que la tragédie élève la conscience humaine en la confrontant aux drames et aux déchirements de la vie, l'humour, lui, va au-delà de cette mise en situation « tragique ». Au lieu d'intensifier le climat conflictuel de tel ou tel événement, il le dédramatise, nous libère de sa pesanteur et de sa gravité afin de nous permettre de le regarder avec une plus grande liberté et sous des perspectives différentes. Dans son livre, « Le Héros aux mille visages », Joseph Campbell nous explique que « les fins heureuses des contes de fées et des mythes ne doivent pas être considérées comme des contradictions mais comme une transcendance par rapport à la tragédie universelle de l'homme... La tragédie est l'éclatement des formes et de notre attachement aux formes. La comédie, elle, est l'indomptable, l'insouciante et inépuisable joie de la vie que nulle force ne saurait arrêter. »

Sur le plan occulte, ou caché, l'humour nous permet à la fois de stimuler et d'étendre notre champ d'énergie. L'humour et le rire « éveillent » nos chakras supérieurs et peuvent contribuer à résoudre certains blocages d'énergie. Leur action nous incite donc à établir le contact avec ce qu'il y a de plus élevé en nous, avec des modes de compréhension plus subtils et plus approfondis. Il arrive que des vérités spirituelles, inaccessibles par la méditation et l'étude, se révèlent à nous pendant des crises de fou rire.

En introduisant la joie, le plaisir et l'humour dans notre vie, nous commençons en fait à déborder du subjectif pour nous « tremper » dans le réservoir de l'énergie universelle. L'expérience du plaisir et de l'humour vrais élargit notre perception de la réalité et, ouvrant nos centres spirituels, nous donne à percevoir les vérités les plus profondes. La vie est une divine comédie. Vivons-la ainsi !

Humour, sexe et relation amoureuse

La sexualité et les rapports amoureux comptent parmi les aspects les plus importants de la vie et doivent être traités avec sérieux. Le sérieux n'exclut cependant pas le rire et la joie qui font partie de notre héritage et sont tout aussi essentiels que la connaissance, l'amour et la compassion.

Dans notre culture où la performance sexuelle est dominée par l'anxiété, l'amour physique n'est que trop rarement associé à la décontraction, au plaisir. L'état de tension créé par cette obsession de la performance sexuelle fait que nous restons ancré dans les chakras inférieurs. Nous sommes tellement préoccupé par l'apparence physique (la nôtre et celle de notre partenaire), par le fait de nous placer correctement, d'étudier la réaction de l'autre, de nous demander s'il aime ou n'aime pas ce que nous lui faisons, qu'il est bien difficile de parvenir à une véritable intimité, une intimité qui ne soit pas seulement charnelle, mais émotionnelle et spirituelle. Cette forme d'anxiété décrite ci-dessus, avec tous les blocages qu'elle est susceptible d'entraîner, peut parfois nous faire accroire que la sexualité est une chose difficile, que la satisfaction mutuelle tient de l'exploit et que notre partenaire est une espèce de juge sévère et intransigeant qui ne nous pardonnera pas la moindre erreur. Une telle attitude finit très vite par nous faire considérer les rapports sexuels non plus comme un plaisir mais comme une épreuve.

La confiance et l'ouverture d'esprit sont indispensables pour nous permettre d'aller au-delà de cette dimension purement physique du sexe. Si la plupart d'entre nous ont tant de mal à accorder leur confiance, c'est qu'ils gardent en mémoire les cuisantes déceptions éprouvées pendant l'enfance, les trahisons dont ils se sont sentis victimes. Nous venons au monde avec une confiance innée pour tout ce qui nous entoure – êtres et choses – et faisons peu à peu l'expérience des souffrances physiques et affectives. Lorsque nous nous rendons compte que les gens sont capables de nous faire du mal – parfois même ceux que nous aimons et qui nous aiment –, le choc peut être terriblement traumatisant et provoquer un réflexe de repli sur soi destiné à nous protéger des éventuelles souffrances à venir. La maturité doit nous apprendre à réviser notre idée première de l'innocence et, surtout, à faire la distinction entre confiance aveugle et confiance éclairée. Malgré nos premières déconvenues, nous saurons bientôt choisir ceux qui méritent notre confiance.

L'innocence naturelle des enfants est fondée sur leur intuition d'appartenir à ce que les maîtres spirituels appellent l'énergie universelle. Ils supposent instinctivement qu'elle prendra soin d'eux et assurera leur subsistance au sein d'un monde en croissance constante et gouverné par l'amour.

Quand nous ne voyons autour de nous que la défiance et la peur, c'est le regard faussé de l'enfant désenchanté qui s'exprime. Le monde est alors un endroit dangereux rempli d'individus malhonnêtes et cruels. Pour peu que l'on s'en tienne à cette vision, nous aurons tendance à sans cesse nous placer dans les circonstances propres à vérifier notre théorie. La vie devient une lutte de chaque jour où la suspicion et la crainte règnent en maîtres. Si nous prenons toutefois conscience des raisons qui nous ont amenés à ce jugement erroné du monde, nous pouvons peu à peu briser le cercle vicieux et sortir des schémas négatifs. Ne tombons pas non plus dans l'excès contraire qui consiste à voir la vie en rose en s'appliquant à ignorer la violence et la cruauté dont l'être humain est capable. Entre les déceptions de l'enfant et les réactions défensives qu'elles suscitent, nous devons trouver un juste équilibre, un milieu stable où développer notre pouvoir de discrimination et notre sûreté de jugement, ceci afin d'appréhender la réalité de façon lucide et raisonnée.

Lorsque deux personnes font l'amour, leur objectif est de se connecter avec cette force vitale qui est en eux, de se laisser porter par elle plutôt que de s'accrocher à des images mentales de performance sexuelle. Cela requiert une volonté de partage et de confiance mutuels, une libre expression sur les plans physique et intuitif. Notre nature instinctuelle est notre meilleur guide en ce domaine. Elle connaît la gestuelle de l'amour et les secrets de la montée vers l'orgasme.

Car nous savons tous faire l'amour. Cette fonction est inscrite dans nos gènes depuis que l'homme est homme. Au même titre que le fait de respirer et de se tenir debout, elle fait partie de notre héritage humain. Ceux qui croient en la théorie de la réincarnation pensent également que notre richesse en matière d'expériences sexuelles se construit progressivement au cours de nos existences successives.

L'anxiété sexuelle est essentiellement due à une attitude de méfiance à la fois sur le plan mental et sur le plan émotionnel. La femme peut par exemple s'imaginer que son partenaire va la trahir et la faire souffrir; l'homme, que sa compagne cherche à le dominer et à lui ravir son indépendance. Émotionnellement, nous sommes souvent sur la défensive en raison de déceptions sentimentales survenues dans le passé. Mais le fait d'être constamment sur ses gardes entraîne une grande dépense d'énergie et produit inévitablement anxiété et tensions. Tous ces automatismes de repli sur soi nous détournent de notre disposition naturelle et instinctive à faire confiance à l'autre, à lui donner notre amour et recevoir le sien sans partage ni calcul. Lorsque surviennent des problèmes sexuels dans une relation, il ne s'agit donc pas d'une quelconque inaptitude ou incompétence mais d'une distanciation par rapport à l'instinctuel.

S'il est essentiel d'être instinctuellement libre et ouvert pour laisser s'exprimer notre sexualité, il ne l'est pas moins d'établir un contact intuitif avec notre partenaire, ceci afin de permettre un véritable dialogue spirituel. Grâce à ce dialogue, nous savons ce qu'il attend de nous, non seulement physiquement mais aussi sur les plans mental et émotionnel.

La nature instinctuelle de l'homme est malheureusement sévèrement brimée dans la société actuelle, et cela au profit de valeurs telles que l'analyse, l'évaluation et la comparaison. En même temps, on constate toutefois une ouverture progressive de son côté intuitif. Contrairement à l'instinct, ce dernier n'a pas subi de répression systématique, il n'a tout simplement pas encore atteint son plein développement. L'un de nos objectifs majeurs au stade actuel de notre évolution consiste donc à nous appuyer davantage sur l'instinct tout en travaillant à l'essor de l'intuition. Ainsi, nous repousserons peu à peu nos limites et chasserons le spectre de l'anxiété sexuelle.

S'il est exact que la joie, l'humour et le plaisir font partie intégrante du cosmos, nous devons les assimiler pleinement à notre vie. Il a été scientifiquement démontré que le rire a un effet relaxant sur le corps humain. (Voir à ce sujet le livre de Bernie S. Siegel : « Amour, médecine et miracles ».) On ne peut mésestimer l'action bénéfique de l'humour sur la sexualité. Moins nous avons de tensions physiques ou nerveuses, plus le plaisir de faire l'amour sera complet et intense. Or, non seulement l'humour et le rire aident à dissiper les tensions, mais ils stimulent également l'instinct et l'intuition.

Il convient par conséquent de remettre en question les préjugés que nous a inculqués notre société puritaine selon lesquels le sexe est une chose négative engendrant la souffrance et la culpabilité. Affirmons plutôt que le sexe est formidablement agréable, qu'il est source de joie, de communion et d'expansion. Bien entendu la tâche est loin d'être aisée. Le plaisir en général et tout particulièrement le plaisir sexuel, sont soumis à de tels tabous ! Mais si nous désirons vraiment nous transformer nous-même, nous devons redéfinir notre système de valeurs et ne pas hésiter à rejeter les préjugés limitatifs imposés par la société. C'est à ce prix que nous serons en mesure de comprendre ce que signifie le fait d'être un homme, d'être une femme, ce que signifient des mots tels qu'amour, confiance, engagement, fidélité. Si nous parvenons à nous libérer des images de culpabilité et de honte abusivement associées au plaisir, nous pourrons alors espérer voir s'exprimer les domaines par trop ignorés de notre être : l'instinct et l'intuition. Une telle démarche – surtout si elle est entreprise à deux – établira le climat de liberté mutuelle nécessaire pour qu'une véritable union entre homme et femme puisse exister.

Le rire

Le rire est l'un des meilleurs agents du bien-être dans la sexualité. En tant que fonction naturelle du corps, il a une action relaxante sur le diaphragme, c'est-à-dire sur le chakra du plexus solaire qui est le siège de nos émotions et l'endroit où se concentre la majeure partie de notre tension émotionnelle. Le rire ne fait pas seulement travailler les poumons, augmentant ainsi la quantité d'oxygène dans le corps, il contribue également à réguler le système cardiovasculaire et stimule la production d'endorphine dans le cerveau. L'endorphine, morphine naturelle du corps, soulage les douleurs physiques. Dans son livre, « Anatomie d'une maladie », Norman Cousin compare le rire à une sorte de « jogging intérieur ». Il l'a d'ailleurs largement utilisé comme remède pour se guérir d'une grave affection cérébrale.

Comme ils le font avec d'autres émotions naturelles, les adultes ont souvent tendance à réprimer le réflexe spontané du rire, mode d'expression de la joie et du plaisir. Dans le contexte d'une discussion, le rire représente une libération d'énergie, un relâchement de la tension intellectuelle et émotionnelle qui nous rapproche des autres.

La plupart des gens éprouvent de la gêne à rire pendant qu'ils font l'amour, leur partenaire risquant fort de s'imaginer qu'on se moque de lui, qu'on le tourne en ridicule. Il n'est bien sûr pas question d'éclater de rire tout au long de l'acte sexuel, mais seulement de se donner le droit de manifester sa joie. J'exclus toutefois les gloussements dus à la nervosité et à l'embarras qui ne sont aucunement liés au plaisir et à la jubilation. Le rire, le vrai rire est libérateur.

La tradition métaphysique estime qu'il émane du chakra du plexus solaire. Pour cette raison, on le nomme « rire du ventre ». Quand nous rions vraiment, nous rions avec le diaphragme, c'est-à-dire avec le centre de notre être. C'est pourquoi cette forme de rire est si communicative. L'hilarité jaillit du centre de nous-même – de notre unité indivisible, et rayonne vers les autres centres qui sont à sa portée.

Les rires stridents et autres ricanements – souvent très irritants – n'appartiennent pas à cette catégorie de rires vrais parce qu'ils sont centrés dans la gorge ou la tête. Il s'agit davantage du rire mental, lequel est la plupart du temps sous le contrôle de nos attitudes et de nos pensées. Le « rire du ventre », par contre, est une expression de joie issue de l'instinct, une manifestation de cette vérité universelle qu'est l'humour.

Tendresse et mots tendres

L'emploi de mots tendres et de noms affectueux à l'adresse des êtres aimés est étroitement lié à cette touche de « légèreté » que le rire introduit dans une relation. Rares sont ceux qui ont tenté d'analyser cet usage qui, comme le rire, est totalement instinctif.

La plupart du temps, ce sont les enfants qui nous inspirent ces témoignages de tendresse. Attitude très naturelle, car nous ne concevons aucune limite à l'amour que nous leur portons. Un bébé ne va pas nous repousser, nous juger ou nous dire que nous sommes ridicules. Spontanément attiré par cette confiance et cette innocence, nous exprimons notre affection sans réserve : petits noms rigolos, papouilles et grimaces. On se met à « parler bébé », à imiter leurs expressions, à jouer avec leur hochet, à faire « guili-guili » et « areu-areu »... sans penser une seule seconde que notre comportement puisse paraître stupide ou choquant, et cela parce que nous fonctionnons alors sur le plan de l'intuition. Nous sommes en contact avec l'aspect instinctif et naturellement libre de l'enfant.

Il en est tout autrement pour ce qui concerne nos relations avec le monde des adultes où les enfantillages ne sont en général guère appréciés, surtout dans le domaine des affaires. Mais, s'agissant d'une liaison amoureuse, nous devrions être capable de réviser cette opinion et de manifester notre tendresse avec notre spontanéité d'enfant. Cet état d'innocence permet en effet d'établir une profonde intimité, une confiance mutuelle renforcée.

Le langage amoureux est par essence un langage

intime qui donne à l'autre – et à la liaison même – un caractère particulier, unique. Parce qu'ils sont justement si proches l'un de l'autre, les jumeaux développent fréquemment un langage qui n'appartient qu'à eux. L'échange d'énergie est si puissant entre eux, qu'ils se fabriquent leurs propres outils de communication.

Comme je l'ai mentionné précédemment, l'être aimé est bien souvent le reflet d'un aspect de notre inconscient. Cette connivence tend à favoriser l'éclosion d'un langage intime auquel viennent s'ajouter au fur et à mesure que la relation évolue des « private jokes » et toute une panoplie de petits noms affectueux particuliers à chaque couple. Une telle complicité indique que les deux partenaires sont parvenus à un niveau de communication privilégié où s'exprime librement leur innocence d'enfant.

Les taquineries

La taquinerie est une forme de tendresse, un langage intime. Pratiquée dans un esprit d'amour et de générosité, elle est en quelque sorte la récompense d'une expérience partagée. Car pour taquiner quelqu'un, encore faut-il avoir avec lui une réelle complicité, un « vécu » en commun. Lorsqu'une relation est fondée sur la confiance et le respect de l'autre, on peut se moquer gentiment de notre partenaire sans qu'il y ait d'ambiguïté. Nous taquinons souvent nos enfants, non pas parce que nous critiquons leur comportement mais parce que nous les trouvons à la fois amusants et émouvants et que nous nous identifions à leur façon d'être et de paraître. On taquine ceux qui nous inspirent une vraie tendresse.

L'expérience de Shirley et Joe est une bonne illustration de cette forme de complicité. Tous deux sont des cadres supérieurs parfaitement organisés dans leur vie, habitués à assumer d'importantes responsabilités. Dès leur première rencontre s'établit entre eux un rapport de complicité tel qu'ils se sentirent tout de suite libérés de leur rôle d'adulte – responsables et capables d'y introduire la dérision. Cette nouvelle liberté, tout en leur procurant matière à se taquiner sur le «sérieux» de l'existence, donnait à leur relation un aspect tout à fait unique et mettait en évidence l'action bénéfique qu'ils exerçaient l'un sur l'autre. Comme Joe le dit un jour à Shirley : «Tu me brouilles les idées. Je ne sais plus où j'en suis depuis que je te connais. Je loupe mes rendez-vous et rêve de toi toute la journée. Tu es en train de démolir ma réputation. Tu ruines ma carrière. Une fois que j'aurai perdu mon boulot, je compte sur toi pour m'entretenir ! »

Par contre, quand les taquineries sont sarcastiques ou qu'elles expriment de façon déguisée de sévères critiques sur la conduite de l'autre, elles peuvent se révéler très douloureuses et avoir un effet négatif. Quand bien même leur contenu serait pertinent, celui ou celle à qui elles s'adressent sentira qu'il y a volonté de le blesser et répondra en conséquence.

Pamela et Bill sont ensemble depuis sept ans. Bien que leurs personnalités soient très différentes, ils ont su parvenir à une assez bonne entente. Un détail est cependant à l'origine de leur désaccord : Bill est quelqu'un de très méticuleux et ordonné alors que Pamela est tout le contraire. Avant d'avoir des enfants, ils travaillaient tous les deux et, bien souvent, la maison n'était pas aussi propre que Bill l'aurait souhaité. Pamela ne correspondait pas à son image de la maîtresse de maison idéale. Mais, au lieu d'aborder franchement le problème avec elle et de chercher une solution à deux – soit en se partageant les corvées de ménage, soit en engageant une personne d'entretien – un jour qu'il était particulièrement remonté contre sa femme, Bill crut amusant d'écrire ces quelques mots dans la pellicule de poussière sur le téléviseur : «Pamela est une souillon ! » Celle-ci n'apprécia pas du tout la plaisanterie et fut fâchée avec lui pendant près d'une semaine. L'attitude de Bill dénotait en fait son incapacité à communiquer et son insensibilité. Il ne faisait pas assez confiance à Pamela pour lui exposer franchement le problème. Lorsque l'on utilise la taquinerie pour exprimer des sentiments négatifs, les conséquences peuvent être bien plus douloureuses pour l'autre que si l'on disait les choses clairement. La confrontation est préférable dans de tels cas de colère et de frustration à l'emploi du sarcasme et de l'ironie corrosive.

La petite musique du plaisir

Si nous laissons parler notre être instinctuel, ce qu'il y a d'enfantin dans nos émotions, nous sommes spontanément enclin à produire de petits cris, de petits gémissements et grognements pendant que nous faisons l'amour. Ceux-ci exercent souvent une grande influence sur notre partenaire. Ils peuvent l'exciter, le guider dans ses caresses. Quoi qu'il en soit, cette musique du plaisir contribue – au même titre que les sens – à accroître le magnétisme naturel qui est le ciment de tout rapport charnel. Elle est l'expression d'un besoin d'intimité et, à ce titre, ne doit pas être réprimée. La plupart des animaux utilisent cette forme de langage primordial pour attirer leur partenaire et communiquer avec lui lors de l'accouplement. Non seulement il n'y a rien de risible au fait de produire ces sonorités onomatopéiques, mais elles nous rapprochent de l'être aimé, établissent un niveau de communication bien plus authentique que le langage articulé ne saurait le faire.

Sur le plan métaphysique, la musique du plaisir aide à élever l'énergie sexuelle jusque dans le chakra de la gorge, c'est-à-dire à la véhiculer depuis les centres de l'instinct vers les centres spirituels situés dans la tête. Un tel échange avec notre partenaire – à l'image des taquineries et des mots tendres – favorise l'ouverture des chakras et la circulation de l'énergie sexuelle.

La plupart des personnes qui trouvent ce mode d'expression ridicule ou déplacé sont en général celles qui vivent mal leur sexualité et leurs rapports intimes avec les autres. Pour se sentir libre d'être ce que l'on est, libre de manifester sa joie « animale » de faire l'amour, il est bien entendu essentiel de trouver celui ou celle qui nous convienne et nous comprenne. Sans une authentique complicité, il manquera à notre sexualité cette dimension spontanée qui lui donne toute sa force et toute sa magie.

Les caresses

Bien souvent, l'obsession de la performance sexuelle restreint l'usage des caresses au domaine spécifique du rapport charnel. On ne touche l'autre que dans le but de lui faire l'amour et lorsqu'on est certain qu'il ne va pas nous repousser. On devrait pourtant être capable de témoigner son affection en dehors du contexte de la sexualité pure. Je dirais même qu'une relation amoureuse accomplie ne saurait se passer de ces marques de tendresse – en public ou en privé – libres et désintéressées, car elles sont le signe d'une vraie intimité.

Il ne s'agit pas non plus bien sûr d'agripper notre partenaire dès la première rencontre, de le brusquer, d'attirer exagérément l'attention ou de se rendre ridicule. Comme pour tout ce qui concerne l'amour, nous devons suivre notre intuition, être attentif à la sensibilité de l'autre. Le spectacle d'un couple âgé se tenant par la main ou s'embrassant au restaurant n'est-il pas émouvant ? Après tant d'années passées ensemble, ils partagent encore la même tendresse l'un pour l'autre et ne craignent pas d'afficher leur bonheur.

Les caresses et les jeux de l'amour sont spécialement importants au lit mais, contrairement à ce qu'on pense couramment, leur fonction n'est pas de nous amener systématiquement à l'acte sexuel. Cette opinion est cependant tellement ancrée dans les mœurs que nous avons tendance à contenir nos élans de tendresse dès lors que nous ne convoitons pas notre partenaire charnellement. Ce genre d'attitude peut occasionner chez lui une grave cassure entre le sexuel et l'affectif et compromettre la relation tout entière.

Chacun de nous a besoin de tendresse. Pour cette raison, l'emploi des caresses ne doit pas se limiter au seul domaine du sexe, mais être aussi – et surtout – l'expression d'une intimité partagée. Un geste, une étreinte, un regard sont autant de fils d'or tendus d'un cœur à l'autre. Savoir offrir son amour, c'est recevoir l'amour en retour et être illuminé par la joie même de donner.

La gaieté : une expérience partagée

La gaieté et le plaisir devraient être une priorité pour chaque couple. Quand deux êtres sont unis par une même joie de vivre, leur relation amoureuse ne peut qu'en devenir plus intense et plus solide. Les activités en commun aident à mieux communiquer et mieux se comprendre. Ceci n'implique évidemment pas que l'on doive tout faire à deux. Chacun a besoin de son espace propre et d'enjeux qui lui soient personnels. Mais une relation où les deux partenaires ne partagent pas un même centre d'intérêt est presque inévitablement vouée à l'échec.

Au cours de ma carrière de thérapeute, j'ai souvent constaté que les couples soudés par des affinités communes avaient plus de facilités que d'autres à surmonter leurs problèmes.

Quelle que soit l'apparente stabilité d'une relation, celle-ci est toujours menacée par l'ennui et la routine qui ne manquent pas de faire leur apparition tôt ou tard. Le fait de partager une activité – sport, hobby, etc. – aide justement à chasser la monotonie, à donner à l'existence les couleurs du plaisir et de la gaieté. S'il faut certes assumer ses responsabilités : payer ses traites, prendre soin des enfants, etc., il ne faut cependant pas oublier les bonheurs simples qui nous rapprochent de l'être aimé et nous arrachent à la routine.

La tendance actuelle qui tend à institutionnaliser la recherche du plaisir représente néanmoins un danger dont il est bon de prendre conscience. En effet, à force de rechercher toujours mieux et toujours plus fort dans le domaine des sensations, on risque de tellement s'absorber dans cette quête qu'on passera parfois à côté du plaisir sans même le voir. Plutôt que de prendre le temps d'apprécier les choses au fur et à mesure, on se hâtera de passer d'un sujet à un autre, d'un endroit à un autre, miné par la peur de manquer l'essentiel et, donc, le manquant.

Lorsqu'on profite pleinement de ce que l'on fait, il se crée une sorte d'osmose avec la situation spécifique. Nous devenons davantage disponible, davantage ouvert aux expériences susceptibles de se présenter à nous. Du même coup, pour peu que notre compagnon ou notre compagne ait la même attitude, l'intimité est alors proche de la perfection.

Le sentiment de partager des expériences et des centres d'intérêt introduit dans une relation amoureuse les notions d'évolution, d'expansion, de renouveau. Une joie éprouvée à deux est multipliée à l'infini.

Le plaisir et l'humour sont aussi essentiels pour le bien-être d'un couple que le boire et le manger le sont pour la survie de l'espèce. Ils stimulent notre curiosité, insufflent de l'air frais dans le quotidien et, en remettant sans cesse en question nos habitudes et nos préjugés, nous permettent de repousser sans cesse nos limites.

L'humour a le pouvoir de nous ouvrir au monde et de nous aider à nous percevoir nous-même dans notre diversité. Il nous rend plus créatif, plus audacieux, nous soulage du poids de nos inquiétudes. Il est la clé de cette bonté universelle qui est là, à notre portée, et qui attend que nous fassions un pas vers elle.

9

Le prélude sexuel et les stimulations érotiques

Dans la tradition antique, les rôles sexuels des hommes et des femmes étaient principalement définis en fonction des rites de fertilité. À travers l'enseignement religieux, les marques physiques (telles que tatouages et incisions des chairs) et les cérémonies initiatiques, on instruisait les jeunes garçons et jeunes filles sur la fonction du sexe dans le couple et sur leurs devoirs en tant qu'êtres humains responsables.

Les rites de fertilité destinés à éveiller l'énergie sexuelle sont encore pratiqués par nombre de peuples primitifs tels que les aborigènes d'Australie, les Kung et Bush people d'Afrique et certains Amérindiens toujours attachés à leur culture tribale. Tous ceux d'entre nous qui sont issus de la culture occidentale moderne n'ont bien sûr jamais été exposés à de tels rites. Aussi, les stimulations pré-sexuelles représentent-elles un substitut à ces pratiques archaïques. Cependant, nous ne recevons aucun enseignement ni aucune formation pour nous préparer à débrouiller leurs mystères.

Un bon nombre de malentendus entourent cette notion de prélude sexuel, ses dimensions cachées et le rôle déterminant qu'il joue avant l'accouplement proprement dit. Dans la haute Antiquité – et particulièrement chez les Égyptiens et les Mésopotamiens adorateurs de la Déesse –, le prélude sexuel avait pour but de mettre les deux partenaires en contact avec la Terre-Mère et l'Univers-Père, en ouvrant tous leurs sens à leur pouvoir. Puisque l'univers était en effet la source fondamentale de toute créativité, le fait de devenir réceptif à ses énergies entraînait, croyait-on, un accroissement des capacités créatrices et une pleine jouissance de l'abondance de la nature sous la forme du plaisir. En outre, une telle réceptivité était un signe de révérence à l'égard de ces énergies et permettait aux forces divines de nous pénétrer et d'œuvrer en nous.

Nous avons malheureusement si peu l'habitude de prendre le temps de chercher le plaisir dans les situations les plus simples de notre vie, que la joie véritable et l'épanouissement sont trop souvent absents de nos rapports sexuels. Comme pour toute autre expérience, le bonheur que l'on en tire dépend de ce que nous investissons de nous-même. L'artiste qui économise son énergie et son talent créera des œuvres à demi réussies. Il y manquera la passion et l'audace créatrice. Il en va de même pour les rapports sexuels. Si nous prenons vraiment le temps de nous révéler à notre partenaire, nous connaîtrons une joie plus complète et plus gratifiante.

Pour bien des gens, le prélude sexuel est une chose rébarbative, un procédé astreignant et épuisant. Une remarque classique : « On ne va tout de même pas passer une heure à se mettre en condition ! » Comme toute expérience rituelle, le prélude (ou stimulations érotiques) demande pourtant qu'on lui accorde un certain laps de temps. Abordées avec une attitude de révérence, les expressions physiques de l'amour sont un hymne à la vie. Lorsque cela se produit, l'acheminement vers l'acte sexuel peut ensuite être très rapide. L'accouplement lui-même peut durer dix minutes ou trois heures. Son succès dépend de notre motivation, de l'énergie et de la créativité que nous mettons à son service.

En surface, l'union sexuelle paraît être l'acte intime et privé entre tous, mais dans la pratique ce n'est pas souvent le cas. En fait, beaucoup préfèrent qu'elle soit rapide et anonyme. Pour certains, le fait de faire l'amour en quatrième vitesse est une fuite : ils n'ont aucune intention de chercher à établir un contact autre que physique avec leur partenaire. Pour d'autres, cette hâte est destinée à masquer leur vulnérabilité émotionnelle. Quoi qu'il en soit, il semble plus facile pour nombre d'entre nous de dévoiler son corps plutôt que son âme.

D'autres encore, s'ils font l'amour avec une telle précipitation, ont peut-être tout simplement oublié quelles merveilleuses possibilités offre le sexe. Parce que nous vivons dans un monde qui va si vite, nous avons tendance à nous mettre systématiquement à son rythme. Face à un plat raffiné, nous l'avalons en trois bouchées sans même en apprécier la saveur complexe. En vacances, nous n'avons pas un moment de libre ; à chaque jour, à chaque nuit correspond une activité précise. Nous rentrons épuisé pour reprendre le travail.

Si nous prenons conscience de cette tendance à la hâte excessive, nous pouvons commencer à ralentir notre rythme de vie, apprécier les menus plaisirs quotidiens tels qu'une promenade dans les bois, une conversation tranquille entre amis. En prenant notre temps, en explorant calmement le monde qui nous entoure, nous développerons progressivement une nouvelle perception de nous-même et de notre partenaire qui se manifestera jusque dans notre façon de faire l'amour.

Le prélude sexuel est un moment important pour découvrir l'autre. Dans les premiers temps d'une relation, il est nécessaire de ne pas précipiter les choses, d'apprendre à se connaître sans subir la contrainte du temps. Une soirée passée à la maison, un week-end romantique à la campagne sont propices à cela. En fait, tout ce que nous construisons avec attention et réflexion sera sans aucun doute davantage productif et gratifiant que ce que nous entreprenons avec impatience et précipitation.

Le temps que l'on consacre au prélude sexuel diminue au fur et à mesure que l'on apprend à connaître son tempérament et ses goûts. Un contact étroit s'établit avec lui, un échange énergétique, qui vont en s'approfondissant et s'amplifiant à chaque nouveau rapport sexuel. Les stimulations pré-sexuelles deviennent alors plus une source de plaisir qu'une tâche nécessaire au bon déroulement de l'accouplement.

En termes de stimulations et de capacité à communiquer avec l'autre, le prélude sexuel favorise une plus complète et plus forte intimité, et permet de dépasser le cadre de la pure satisfaction sensuelle.

Les plaisirs que nous procure le prélude sexuel pourraient se comparer à ceux que l'on éprouve lors d'un banquet. Comme toutes les saveurs différentes d'un bon repas, le prélude, puis l'acte sexuel, doivent contenir une variété d'éléments susceptibles de stimuler nos sens et de satisfaire simultanément tous les niveaux de notre être. La stimulation des sens – et principalement les zones érogènes et les chakras – éveille notre réceptivité aux forces vitales de l'univers avant la fusion charnelle avec notre partenaire. Ces forces vitales s'élèvent ensuite à l'intérieur de notre être jusqu'au moment où elles sont libérées à l'instant de la jouissance et où nous sommes mis en contact avec l'énergie spirituelle. Examinons maintenant certains de ces éléments qui nous aideront à pleinement apprécier les joies du prélude sexuel.

L'habillement

Le type de vêtement que nous portons est un aspect important – et trop souvent méconnu – du prélude sexuel. Comme on le constate en regardant leurs splendides statues, les Grecs anciens avaient un grand respect pour le corps humain et ne se lassaient pas d'en souligner l'admirable beauté. Ils s'habillaient souvent de robes qui épousaient les lignes du corps et suivaient chacun de ses mouvements. Certains commentateurs ont vu dans cette fluidité du vêtement une évocation du flux naturel de l'énergie sexuelle, ou kundalini.

Le fait de présenter le corps agréablement drapé représente depuis toujours l'un des aspects essentiels de la sensualité et du pouvoir de séduction. Bien que les critères esthétiques puissent varier d'une personne à l'autre et d'une culture à l'autre, les fibres naturelles – telles que le coton et la soie – sont considérées comme étant les étoffes les plus sensuelles. Douces au toucher, elles captivent en effet nos sens pendant les préliminaires à l'acte sexuel.

Les couleurs, elles aussi, peuvent contribuer – avec la coupe et la texture du tissu – à créer un certain climat d'éveil à la sensualité. Une robe bleu azur, par exemple, produira un sentiment tout différent qu'une robe rouge vif.

Examinons brièvement les propriétés de certaines couleurs et voyons comment elles nous affectent.

Le rouge est la couleur la plus vibrante du spectre. Elle a joué un rôle prépondérant dans les traditions antiques. Les Grecs anciens se vêtaient de robes rouges pour symboliser le sacrifice et l'amour ; les hindous, eux, associaient le rouge au feu. Les jeunes Chinoises portaient souvent des robes rouges, couleur de l'innocence dans leur culture. Pour les Hébreux, le rouge se rapportait à la fois au sacrifice et au péché, tandis que pour les Égyptiens de la haute Antiquité, il illustrait avant tout le pouvoir.

Le rouge est la couleur de la passion, une couleur qui stimule le flux énergétique interne et attise la sensualité. Il n'est donc pas étonnant qu'on l'associe généralement à l'amour et au romanesque. Le rouge est physique, masculin et dynamique. Il est yang. On peut le porter pour stimuler la passion, la vigueur et augmenter le flux énergétique.

Le jaune est fréquemment associé au soleil. C'est une couleur de joie, de créativité, d'humour et de pensée conceptuelle. Pour les Grecs, le jaune se rapportait à l'élément Air et symbolisait Dieu et la création.

Dans la religion condomble d'Afrique et du Brésil, le jaune est la couleur d'Ochun, déesse de l'amour, du mariage, de la fertilité. En occultisme, il représente l'intellect et les pouvoirs de la pensée. Le fait de porter des vêtements jaunes est supposé aider à renforcer et développer nos corps mentaux. De plus, cette couleur éveille des sentiments de joie et stimule la communication avec les autres.

Le vert a toujours été associé avec la nature, avec la fécondité et la vie éternelle. C'est la couleur de l'expansion, de la croissance et de l'optimisme. Dans les premiers temps de la chrétienté, le vert symbolisait l'immortalité et figurait souvent sur les robes des prêtres. Pour les druides et autres groupes religieux vénérant la Nature, le vert était l'emblème de la connaissance. En occultisme, cette couleur représente l'adaptabilité, la douceur, le pouvoir de guérir. Sans doute est-ce la couleur idéale pour ceux qui désirent sauver un amour compromis ou créer des sentiments d'harmonie, d'expansion, d'abondance.

D'après les sondages d'opinion, notre seconde couleur préférée – après le rouge – est le bleu. Il symbolise la sensibilité, la réceptivité, la sagesse, le détachement, la tolérance et la générosité. Les plafonds des temples égyptiens étaient souvent parés de bleu, couleur de l'harmonie et de la vérité pour les druides. Les premiers chrétiens l'associaient à la piété, le bleu pâle symbolisant la paix et la prudence. Dans la tradition occultiste, le bleu est attaché aux sentiments de dévotion et de mysticisme religieux. Cette couleur représente l'aspect féminin et intuitif de notre être. Il est yin. On peut porter du bleu pour stimuler l'équilibre intérieur, la compassion et la réceptivité.

Les maîtres métaphysiciens considèrent la couleur pourpre comme étant celle de l'ère du Verseau. Elle incarne la dévotion spirituelle et l'affection. Combinaison du principe masculin (rouge) et du principe féminin (bleu), elle est le symbole de la double union sexuelle et mystique. Pour les anciens Hébreux, le pourpre, comme le violet, était la couleur de la splendeur et de la dignité ; les premiers chrétiens, eux, l'associaient à la souffrance et au sacrifice. Le pourpre est également lié à la planète Uranus, planète de la connaissance spirituelle. Aujourd'hui, le pourpre et les couleurs qui lui sont apparentées : violet, lavande, sont tenus pour des couleurs spirituelles inspirant la dévotion. On les portera en faisant l'amour afin de garder à l'esprit le pouvoir spirituel de toute union sexuelle et notre essence divine à nous, êtres humains.

Le noir, bien qu'il ne soit pas réellement une couleur (il est plutôt une absence de couleur), est étroitement associé à la mort, à la destruction, au mystère. Pour les premiers chrétiens, il était symbole à la fois de la mort et de la régénération. Les Indiens d'Amérique du Nord voyaient en lui une représentation des mondes inférieurs. En astrologie, le noir est la couleur de Saturne et du signe du Capricorne, tous les deux symbolisant l'initiation symbolique et la réalisation de soi. Le fait de s'habiller en noir peut s'avérer être un élément de séduction important à cause de l'atmosphère de secret et de mystère que cette couleur évoque. Idéalement, il est bon de lui adjoindre des couleurs complémentaires – blanc, bleu ou violet – afin de contrebalancer et d'orienter son intensité.

Le blanc est l'union de toutes les couleurs. De tout temps, on l'a associé à la pureté. C'était la couleur du dieu égyptien Horus, issu du double principe masculin-féminin de l'univers. Les anciens Hébreux et les Perses tenaient le blanc pour la couleur de la joie. Les chrétiens voient en lui un symbole de chasteté, de pureté et d'innocence, tandis que les Chinois l'associent à la mort. Le blanc est supposé transcender toutes les autres couleurs. Lorsqu'il illumine l'aura humaine, il est la marque d'un esprit purifié.

L'or, l'orange, le marron et le gris sont formés par le mélange de certaines des couleurs primaires mentionnées ci-dessus. Leur signification symbolique dérive donc de l'interpénétration de leurs composants. Toutefois, en fonction de la combinaison spécifique, ces couleurs peuvent soit intensifier soit diminuer l'influence de telle ou telle couleur primaire. L'orange, par exemple, accentue les propriétés mentales du jaune et amoindrit – tout en l'intellectualisant – le pouvoir brut du rouge. L'orange est symbole de courage, d'illumination, de moisson et de manifestation.

En prenant conscience de la signification des couleurs que l'on porte, nous acquérons un nouveau moyen d'expression et de communication, à la fois avec l'être aimé et avec les énergies universelles dont nous faisons partie.

L'USAGE DES COULEURS DANS LES RELATIONS SEXUELLES : UN GUIDE PERSONNEL

ROUGE   Éveille la passion et le désir. Nous aide à ressentir notre connexion avec la nature. Stimule l'énergie masculine.

BLEU   Éveille la sensibilité et les sentiments. Nous aide à mieux nous abandonner, à être réceptif. Stimule l'énergie féminine.

JAUNE   Alimente la créativité. Nous aide à nous ouvrir à la joie et l'humour. Facilite la communication.

VERT   Éveille la volonté d'expansion et nourrit les sentiments d'optimisme. Mobilise les énergies curatives.

ORANGE   Rassemble le courage d'entreprendre, de se lancer. Nous aide à mieux ressentir nos émotions.

VIOLET   Éveille les sentiments de dévotion, de pardon, de compassion. Inspire la réceptivité à l'âme sœur.

INDIGO   Éveille l'énergie de la kundalini. Nous stimule dans la quête du dieu intérieur et favorise l'éclosion de la sexualité en tant que rite.

NOIR   Nous aide à trouver une assise. Éveille les sentiments d'humanité. Inspire un sentiment de sécurité.

BLANC   Éveille l'innocence. Nous aide à percevoir l'universalité des êtres et des choses. Stimule les échanges spirituels.

Le son et la musique

Dans la mythologie grecque, l'ensemble du système solaire est comparé à un vaste instrument de musique, la lyre à sept cordes d'Apollon. La musique est une force qui nous affecte. Elle affecte notre rythme cardiaque, notre système nerveux, notre pression sanguine, notre digestion, notre respiration, notre esprit et nos émotions. Les effets physiologiques de la musique étaient bien connus dans l'Inde antique, la Chine et la Grèce. Aristote écrivait : « La mélodie et le rythme produisent des émotions de toutes sortes ; ainsi, par la musique s'accoutume-t-on à ressentir l'émotion juste ; la musique a donc le pouvoir de former le caractère. »

Les musiciens du passé obéissaient au désir profond de servir et de spiritualiser l'humanité. Beaucoup d'œuvres célèbres appartenant à la tradition musicale occidentale défendaient des idéaux spirituels et étaient subventionnées par l'Église et la royauté. La musique classique basée sur cette motivation peut nous aider à garder le contact avec notre propre inspiration spirituelle : Bach, Liszt, Haydn, Beethoven et Schubert comptent parmi les compositeurs dont l'ambition était d'élever et d'inspirer les hommes. Nombre d'entre nous ont certainement eu des expériences intenses – voire même mystiques – en écoutant la musique de Bach ou de Beethoven. Ces musiciens nous ont aidés par leurs visions musicales à transcender les états de conscience ordinaire. En terme de sensualité et de prélude sexuel, nous pouvons écouter cette musique lorsque nous désirons étendre le champ de notre conscience et nous ouvrir à la beauté intérieure de notre partenaire.

La musique indienne et orientale porte en elle une grande part de la puissance spirituelle antique. Pareillement, la musique celtique évoque la sagesse druidique avec sa conception universaliste. Pour ceux qui ont l'intuition de leurs existences antérieures, il est particulièrement recommandé d'écouter les musiques des peuples anciens qui, par réminiscence d'un passé lointain, leur sont étrangement familières.

Certaines musiques du vingtième siècle, dont le jazz et la musique expérimentale atonale, s'adressent davantage à l'esprit qu'à l'émotionnel et peuvent nous procurer de puissantes stimulations mentales. Le rock et le reggae possèdent un profond courant sensuel susceptible de nous aider à établir un contact avec l'énergie sexuelle primaire. La country music, elle, nous connecte avec la nature, le chez-soi, avec notre désir de trouver le grand amour romanesque. La musique d'environnement et la musique New Age peuvent être très apaisantes et créer un climat de décontraction et de disponibilité favorable aux stimulations pré-sexuelles. La musique New Age est en grande partie le produit de visions spirituelles, certaines œuvres étant spécifiquement destinées à stimuler et ouvrir les chakras. Toutefois, il convient de dire que beaucoup de ces nouvelles formes de musique en sont encore au stade expérimental. Nous devons donc utiliser notre bon sens intuitif et choisir ce qui nous paraît adapté à notre personnalité.

Comme l'habillement, la musique joue un rôle important dans la préparation de «l'espace romanesque». Elle nous excite ou nous relaxe, elle a le pouvoir de déclencher des sentiments de joie, de puissance, de tristesse ou de tendresse. En fonction du goût de chacun, il existe une grande variété de musiques à la fois apaisantes et réconfortantes. La musique New Age, qui utilise toute une gamme d'instruments exotiques, est maintenant de plus en plus diffusée par les magasins de disques, les libraires et les boutiques de diététique. En outre, il existe quantité d'enregistrements de sons naturels : bruit de cascade, déferlement des vagues ou chants d'oiseaux sont parmi les plus répandus. Ceux-ci nous aident à faire le silence intérieur, à chasser momentanément l'anxiété, les projections, les doutes, tout en favorisant le contact avec notre nature instinctuelle et sexuelle.

L'emploi conscient de la musique dans notre espace romanesque nous donne l'opportunité de faire l'expérience du pouvoir du son. La musique et le son constituent un monde passionnant et varié dont les effets sur l'acte sexuel lui-même forment tout un éventail de sensations. Toutefois, nonobstant l'intérêt que l'on puisse éprouver pour telle ou telle œuvre musicale, il n'est pas souhaitable de l'écouter sans arrêt. Le même morceau constamment rejoué ne nous mène plus nulle part. Lorsque nous faisons l'amour, nous faisons notre propre musique.

Le feu et la lumière

De tout temps, le feu a été vénéré pour son pouvoir médiumnique de prophétie et sa faculté de connecter l'homme avec son inspiration. Faire l'amour devant un feu crépitant est une expérience hautement érotique, considérée même comme le nec plus ultra dans le domaine de la sensualité. Ceci ne devrait pas nous surprendre, puisque le feu est l'énergie primaire de l'univers. Quand nous faisons l'amour auprès d'un feu, notre feu intérieur s'allume simultanément et nous nous alignons avec son énergie.

En l'absence d'une cheminée, une bougie conviendra pour honorer l'élément Feu dans la nature.

Dans l'Antiquité, le fait de brûler une bougie pendant l'acte sexuel symbolisait la célébration de l'intuition, célébration grâce à laquelle l'esprit avait la possibilité de se manifester. Ou encore, la contemplation d'une flamme permettait d'établir un contact avec l'esprit intérieur, l'immortel en nous. La bougie n'est pas seulement un objet captivant, la fluidité de mouvement de la flamme peut également s'avérer stimulante et excitante. En plaçant une bougie à proximité de l'endroit où nous faisons l'amour, nous gardons présente à l'esprit une vérité essentielle : le feu est la représentation physique de la puissance d'inspiration à l'œuvre dans l'univers.

De la même façon, l'éclairage peut aussi aider à créer un environnement favorable pour les rapports sexuels. L'éclairage indirect, par exemple, flatte les sens, combat la nervosité et contribue à établir une véritable intimité. Une lampe verte permet la transmission des énergies curatives. Une lampe jaune stimule le mental. Le rouge, le rose et l'orange auront un effet revigorant sur le corps et attiseront l'excitation sexuelle. Connaissant les significations des couleurs et leur influence sur notre comportement, nous pouvons commencer à utiliser des lampes de couleurs différentes, des bougies, dans le but de créer certaines harmonies précises dans notre espace romanesque.

Le pouvoir des parfums

À l'instar des éclairages et des couleurs, les odeurs exercent une influence sensible sur nos émotions et nos états d'âme. En fait, les parfums sont parmi les plus efficaces stimulants de la mémoire. Chacun se rappelle l'odeur qui flottait dans le grenier de sa grand-mère. Bien souvent, un parfum familier suffit à faire surgir dans la conscience un souvenir extraordinairement précis que l'on croyait pourtant oublié. Chez de nombreuses espèces animales, l'odeur est un agent sexuel déterminant en même temps qu'un moyen d'identification et de reconnaissance mutuelle pour le mâle et la femelle. Dans le royaume végétal également, les fleurs encore non fécondées émettent de forts effluves qui cessent aussitôt après la fécondation. Les parfums attirent, et cette constatation s'applique à toutes les formes de vie sur terre.

L'encens et les fleurs mettent à notre disposition une grande variété d'arômes. En fonction de nos goûts personnels et de l'atmosphère que nous désirons créer, à nous de choisir parmi eux celui ou ceux qui nous conviennent. Il faut cependant prendre garde à ne pas mélanger des parfums incompatibles et essayer de s'en tenir à un thème donné. Exemples : le jasmin pour stimuler les émotions et la confiance en soi ; le bois de santal pour calmer l'anxiété et la tension. Certains encens sont recommandés pour leur action délicate dans l'espace romanesque : rose ou lavande.

Des huiles sont également disponibles dans la même gamme de parfums que les encens. Elles peuvent être facilement mélangées afin de créer de nouvelles senteurs. Selon Robert B. Tisserand dans son livre, « L'Art de l'aromathérapie », les huiles essentielles sont pareilles au sang d'une personne ; elles incorporent les mêmes caractéristiques que la plante dont elles sont extraites. Ces huiles sont obtenues par distillation à partir des éléments les plus précieux de chaque plante. Par exemple, pour obtenir une livre d'essence de rose, on utilise environ une tonne de pétales de cette fleur. Les huiles essentielles représentent la personnalité, l'esprit de la plante. Elles sont sa quintessence. En respirant de tels effluves, nous éveillons les centres d'énergie associés à notre nature spirituelle, et tout particulièrement le « troisième œil » qui est le centre de la discrimination, de l'intuition et de la clairvoyance. L'essence étant la partie la plus éthérée et la plus subtile d'une plante, elle nous affecte à un niveau plus élevé et plus subtil. Or, pendant que nous faisons l'amour, nous cherchons justement à percevoir les aspects les plus profonds de notre partenaire tout en souhaitant qu'il décèle également les nôtres. Les parfums stimulent cette reconnaissance réciproque et contribuent activement à nous mettre en harmonie avec l'être aimé. Contrairement aux parfums artificiels qui altèrent et masquent les odeurs naturelles du corps, les huiles essentielles les rehaussent agréablement pour en dégager toute l'unicité. Les essences sont organiques et font partie intégrante de la force vitale de l'univers. À ce double titre, elles sont en sympathie avec le corps humain. Grâce à elles, l'acte sexuel n'en sera que plus élevé spirituellement.

Comme avec l'encens, la couleur et le son, il nous appartient de sélectionner l'huile qui correspond au climat que nous désirons donner à notre espace romanesque. Par exemple, le jasmin est un excellent sédatif qui aide à surmonter la tension émotionnelle et les sentiments d'anxiété. L'essence de patchouli est un aphrodisiaque réputé. Il agit sur le corps en tant que principe régénérateur. On peut aussi combiner différentes huiles essentielles afin de mettre en valeur leurs propriétés respectives. Robert B. Tisserand nous donne cette recette aphrodisiaque : Solution à deux pour cent constituée d'essences de bergamote, de jasmin, de rose et de bois de santal.

Dans l'Antiquité et la haute Antiquité, les essences étaient très souvent employées lors des cérémonies sacrées. L'onction rituelle chez les Babyloniens, les Égyptiens et les Hébreux était une expression de révérence à l'égard des puissances divines. La mythologie grecque attribuait aux dieux de l'Olympe l'invention des parfums. Ainsi furent-ils toujours symboles d'amour, de sainteté et de magie.

Utilisées en massages, les essences nous permettent de mieux connaître le corps de notre partenaire tout en nous dispensant leurs qualités odoriférantes. Mais nous parlerons plus en détail des techniques de massage dans le chapitre suivant.

ROSE	Nous éveille à l'amour. Stimule les organes génitaux de l'homme et de la femme.
LAVANDE	Harmonise et calme les émotions. Aide à l'équilibre yin/yang.
JASMIN	Aiguise l'attraction sexuelle et favorise la confiance en soi.
LOTUS	Incite à la méditation. Développe la confiance et la réceptivité entre partenaires.
PATCHOULI	Suscite le désir de transformation. Stimule l'ardeur juvénile.
BOIS DE SANTAL	Développe l'intuition. Suscite le désir de fusionner avec l'autre.
MYRRHE	Augmente l'endurance. Aide à préserver notre innocence juvénile.
MUSC	Stimule les instincts primaires et contribue à attirer à soi le partenaire sexuel.
SAFRAN	Nous éveille à la jubilation divine. Suscite la dévotion et le rite sexuel.
OLIVE	Aiguise la passion et l'intimité. Développe le sens de la volupté.
AMANDE	Favorise l'initiation aux mystères de la sexualité. Développe la créativité sexuelle.

NOIX DE COCO	Permet d'extérioriser nos sentiments profonds. Stimule notre intérêt pour l'exotisme.
GARDÉNIA	Énergétise le magnétisme sensuel. Contribue à l'ouverture des chakras.

Nourriture

La nourriture peut être très sensuelle. D'un point de vue purement physique, elle est la manifestation la plus évidente du cycle créatif de la nature. Le partage de la nourriture est notre humaine participation à l'aboutissement de ce processus. Entre deux amants partageant un repas, il y a échange d'essence, communion du physique et du spirituel. Rappelons-nous les paroles du Christ : «Ceci est mon corps : mangez avec moi ; ceci est mon sang : buvez avec moi.» On ne peut ignorer la dimension sacrée contenue dans l'acte d'absorption de la nourriture.

Le partage de la nourriture est un témoignage d'intimité, un rituel, dont le symbolisme caché s'étend à tous les niveaux de l'être et de la vie en société. Par exemple, lorsqu'une personne refuse de partager sa nourriture avec nous, sans doute est-elle également en train de nous repousser au plan émotionnel. Certains pensent en outre que la dynamique d'un couple pendant leur repas donne de sérieuses indications sur leur dynamisme sexuel.

La nourriture que nous absorbons entre dans notre champ d'énergie. L'interaction est constante. Lors du prélude sexuel, tandis que l'on cherche à augmenter son champ d'énergie afin de le fondre à celui de l'être aimé, certains types de nourritures peuvent constituer une aide appréciable. Les effets spirituels des aliments sont largement commentés dans les philosophies chinoise et hindoue, à la fois dans leur fonction nutritive globale et dans les circonstances spécifiques d'une stimulation présexuelle.

Les aliments complets en général tels que légumineuses séchées, céréales non raffinées, graines, noix, légumes crus et fruits nous aident à retrouver notre intégralité. L'aliment entier porte en effet en lui l'équilibre inné yin/yang, donc l'équilibre terre/ciel, contraction/expansion, alcalin/acide et chaud/froid, c'est-à-dire l'harmonie universelle sans laquelle la vie ne pourrait se maintenir. Non seulement les aliments entiers représentent la nourriture optimale, mais ils produisent également les fibres alimentaires qui contribuent pour une large part à la propreté interne du corps. Avouons qu'il est difficile de se sentir très romantique lorsqu'on souffre de constipation !

Le lait et autres produits laitiers sont souvent associés à l'amour, à la chaleur et à l'état d'innocence. On pense couramment qu'ils aident à nous rapprocher des émotions liées au bien-être de l'enfance : dépendance, contentement et alimentation maternelle. Parce que le lait est un produit issu de glandes reproductrices, il est également associé à la sexualité. On pourra donc utiliser les laitages afin de nous aider à exprimer le besoin de nourrir l'autre et d'être nourri par lui.

La viande est un stimulant qui excite les passions. Elle peut éventuellement augmenter notre agressivité sexuelle. Sur un plan métaphysique, cet aliment symbolise l'attachement terrestre, la matérialité. Si l'on se sent coupé du monde physique ou trop aérien, la viande nous aidera à redescendre sur terre, à retrouver le contact avec notre nature instinctuelle et animale.

Le poisson et le gibier possèdent des propriétés analogues à la viande rouge, quoique leur action sur l'organisme humain soit moins intense. L'huître est un aphrodisiaque bien connu. Son pouvoir de transformer un grain de sable en perle précieuse illustre de façon symbolique la transformation de la nourriture en énergie sexuelle créative.

Les céréales, et surtout les céréales complètes, aident à reconstituer notre totalité initiale. Depuis les temps bibliques, l'acte de rompre le pain avec quelqu'un est considéré comme une communion spirituelle. Il est bon de se rappeler également que les céréales telles que le riz brun, le froment, le millet et l'orge facilitent la digestion. Dans le cas où l'on fait l'amour après dîner, l'une ou l'autre de ces céréales nous évitera les douleurs stomacales ou les accumulations de gaz dans la cavité gastro-intestinale, choses qui ne sont pas pour stimuler la ferveur romantique.

Les racines comestibles ont des vertus de stabilité et de force. Dans les légendes incas, et encore de nos jours chez les Indiens aymaras du Pérou et de Bolivie, on évoque leur influence stabilisatrice, leur capacité à renforcer les sentiments d'individualité. Certaines racines comestibles – la carotte, le navet – sont des purifiants naturels et contiennent une grande quantité de vitamines A, vitamine essentielle pour la bonne santé de la peau. Les légumes cultivés pour leurs feuilles, par contre, s'élèvent vers le ciel. Ils absorbent la lumière et la transforment en matière. Ils aident à créer un sentiment de légèreté.

Par exemple, la ciboulette stimule la digestion ; la laitue et le céleri calment les nerfs. Une salade contenant ces ingrédients dissipera la tension lors d'une soirée romantique. Certains légumes comme l'artichaut sont connus pour leurs vertus aphrodisiaques.

Le fruit se trouve au stade final du développement de la plante. Il symbolise ainsi les qualités spirituelles d'ouverture, d'expansion. Outre ses qualités esthétiques et gustatives, il nettoie naturellement le corps et nous procure des sentiments de jeunesse, de vitalité et de santé.

Depuis Adam et Ève, le fruit joue un rôle important dans les jeux de séduction et d'attraction charnelle. Les fruits sont beaux à regarder, ils sont savoureux et, comme d'autres aliments du royaume végétal, ils possèdent des propriétés médicinales qui peuvent exercer une influence subtile sur notre vie sexuelle. Par exemple, les cerises, les ananas et les raisins contribuent à assainir les tissus nerveux et musculaires, aident à dissiper les sentiments de lourdeur, de léthargie. Les oranges et autres agrumes sont de légers stimulants. En plus de leur saveur délicieuse, les mangues peuvent être appliquées directement sur la peau qu'elles nettoient et tonifient. Beaucoup de personnes voient dans le fruit un objet profondément érotique. Ils aiment le consommer de manière aguichante ou le partager avec leur partenaire amoureux. Les fraises, les poires, les pommes et les raisins sont tout indiqués pour cela. La mangue est très estimée en Inde où l'acte de fellation est communément désigné par l'expression «manger la mangue».

Les herbes et les épices ont le pouvoir de guérir, d'apaiser et de transformer. Bien que toutes n'aient pas une influence directe sur les performances sexuelles, leurs propriétés subtiles contribuent au bien-être général du corps. Certaines, comme la camomille et la sauge, détendent les nerfs; tandis que le poivre de Cayenne, les piments et le gingembre sont des stimulants. Les clous de girofle, le fenouil, le ginseng et le safran sont des aphrodisiaques.

L'USAGE DES HERBES DANS LES RELATIONS SEXUELLES : UN GUIDE PERSONNEL

FRAMBOISIER — Stimulant et tonifiant sexuel féminin. Attire le partenaire masculin. Consommer en infusion.

SASSAFRAS — Stimulant et tonifiant sexuel masculin. Attire la partenaire féminine. Consommer en infusion.

THYM — Relaxant. Détend et stabilise le système nerveux. Consommer en infusion ou comme épice dans l'assaisonnement des mets.

SAUGE	Contribue à ouvrir les centres intuitifs. Inspire la dévotion. Consommer en infusion.
ACHILLÉE	Favorise la clarté mentale et prédispose à la sagesse intérieure. Consommer en infusion. (Déconseillé en période de grossesse).
MENTHE	Incite à s'ouvrir aux autres. Inspire des sentiments de joie. Consommer en infusion.
BARDANE	Éveille le flux d'énergie sexuelle. Développe la sensibilité tactile. Consommer en infusion.
POIVRE (DE CAYENNE)	Stimule le désir sexuel et déploie la Kundalini.
CAMOMILLE	Aide au rétablissement de l'équilibre intérieur. Apaise et tranquillise les émotions. Soulage les anxiétés sexuelles. Consommer en infusion.
GINGEMBRE	Stimule les sens. Développe particulièrement la sensibilité buccale. Utiliser en poudre mélangée aux boissons ou bien comme assaisonnement dans les préparations culinaires.
GINSENG	Stimule l'énergie spirituelle et créative. Développe le sens de la discrimination concernant les rapports sexuels et le choix des partenaires. Peut s'utiliser en poudre mélangée aux boissons ou comme assaisonnement. Se consomme également en infusion.

CANNELLE   Stimule l'excitation mentale et
sexuelle. Éveille la vision intérieure
(le troisième œil). Peut s'utiliser en
poudre – dans les boissons et les aliments – ou sous forme de bâton en
infusion.

Les boissons

Le vin et autres boissons alcooliques ont joué un
rôle important dans les rites religieux tout au long de
l'histoire de l'humanité. On les considérait comme
des outils pour l'expansion de la conscience et la
réduction des barrières entre les êtres. Même s'il est
vrai que, dans notre culture, l'usage abusif des boissons fermentées a fait – et continue de faire – des
ravages, on ne doit pas pour cela dénigrer leur valeur
intrinsèque. Lorsque le vin et les alcools sont utilisés
de façon responsable – avec conscience – ils peuvent
en effet être d'excellents agents pour l'expansion et la
découverte de soi. L'abus des alcools (ou d'autres
substances enivrantes) constitue une fuite devant ses
responsabilités personnelles et rend pratiquement
impossible l'intimité et la confiance au sein d'une
relation. Quiconque lisant ce livre a le moindre doute
quant à sa capacité à gérer sa consommation d'alcool
d'une manière responsable, devrait purement et simplement s'en abstenir.

Nous savons tous que le vin et les autres produits
alcooliques sont issus d'une fermentation. Dans le cas
du vin, les raisins sont écrasés puis, après un certain
temps, leur composition chimique s'étant modifiée,
ils n'ont plus du tout le même goût. Ils se sont transformés. En métaphysique, ce processus est connu
sous le nom d'alchimie.

Lorsque nous buvons un verre de vin, nous assimilons ce processus de transformation à un niveau symbolique. Dans le cycle de fertilité, le foulage du raisin
signifie que nous changeons la forme et élargissons

les limites originelles du fruit. De même, quand nous faisons l'amour, nous relâchons les limites de notre personnalité. Si nous maintenons cet état de relâchement suffisamment longtemps, il se produira alors une transformation de notre être profond. Une alchimie.

Le fait que l'alcool nous fasse tourner la tête prouve bien que, jusqu'à un certain point, nous assimilons cette fermentation-transformation. Nous répondons à la composition chimique du produit et dépassons nos limites habituelles. En prenant conscience de cette signification symbolique du vin, nous commencerons à vraiment apprécier sa valeur sacrée. Mais rappelons-nous toujours que le pas est vite franchi entre l'élargissement de la conscience que peut nous apporter une sage consommation d'alcool, et l'intoxication – négative et annihilante – due à l'excès.

L'eau

L'eau peut jouer un rôle très stimulant dans le prélude sexuel et la découverte de notre partenaire. Dans la tradition religieuse bouddhiste et chrétienne, cet élément symbolise les émotions. Il est fréquemment utilisé dans les rituels comme moyen d'accéder à des états de conscience supérieurs.

L'eau est notre élément primordial. Nous avons tous baigné dans le liquide amniotique avant de naître, et nombre d'entre nous se sentent très à leur aise lorsqu'ils se baignent dans un lac ou dans la mer. Immergés dans l'eau, nous éprouvons une forte sensation de liberté, d'innocence. Dans les rêves, l'eau symbolise principalement l'inconscient et l'influence qu'il exerce sur notre vie.

Le bain est une sorte de fabuleux retour à l'état originel, à la vie intra-utérine avec le sentiment de sécurité et d'intégralité qu'elle procure. Retour également à la puissance, à l'émotion et à l'imagerie de l'inconscient. Le bain est donc un excellent moyen pour s'ouvrir à soi-même et à notre partenaire avant de faire l'amour.

De tout temps, les bains ont été employés pour la santé, l'hygiène, le plaisir et la purification symbolique. En Égypte, en Syrie, en Grèce, et surtout dans l'Italie antique, ils représentaient un aspect essentiel de la vie sociale. Le fameux médecin grec Hippocrate fut l'un des premiers à considérer l'eau comme un important agent thérapeutique.

Conjointement aux bains, on peut employer des baumes et des parfums, soit pour stimuler le corps, soit pour le relaxer. Les huiles essentielles étant promptement absorbées par l'épiderme, elles affectent l'ensemble du système nerveux. Par exemple, si l'on ajoute à l'eau du bain de l'essence de citron, on obtiendra un effet rafraîchissant. Avec de l'essence de basilic, de cardamome ou de menthe, un effet tonifiant. Avec de l'essence de cyprès, de bois de santal ou de fleurs d'oranger, un effet de relaxation. On obtiendra un effet aphrodisiaque en utilisant de l'essence de jasmin, de fleurs d'oranger, de bois de santal ou de patchouli.

Prendre un bain avec l'être aimé, c'est établir avec lui une connexion primale et émotionnelle. On se sent comme deux enfants innocents. Les bains à remous, entre autres, nous procureront des sentiments de bien-être et de joie inégalables.

10

Le prélude sexuel

Le prélude sexuel compte parmi les plus grands plaisirs dont l'être humain puisse faire l'expérience. Il contribue à établir l'harmonie et la correspondance entre deux êtres et, surtout, leur permet d'élargir la dimension de l'acte sexuel au-delà de la pure satisfaction physique.

Plus nous serons capable de répondre sexuellement à notre partenaire et plus les niveaux d'échange et de communication seront nombreux. En utilisant pleinement nos sens, nous éveillons notre sexualité et devenons davantage expansifs.

Comme je l'ai déjà évoqué précédemment, le corps humain est le champ d'énergies tourbillonnantes et vibrantes. Ces énergies se déplacent à travers le corps en suivant un réseau de lignes conductrices, les méridiens, pour se rencontrer à certains points clés du corps, les centres d'énergie ou chakras. L'acuponcture, la digitoponcture et la réflexologie sont précisément basées sur cette idée que le corps humain est un champ d'énergies, et que certains points précis du corps peuvent être stimulés par simples attouchements. Ces points sont reliés aux organes internes ainsi qu'aux corps d'énergie subtile. On pense qu'en activant ces centres d'énergie, on aide le corps à retrouver son équilibre naturel et son bien-être.

Cette théorie peut également s'appliquer au sexe.

Nous savons tous que certaines zones érogènes du corps sont particulièrement sensibles. Leur stimulation peut nous amener à un degré très intense d'excitation sexuelle. De la même façon, l'activation consciente des différents chakras nous permet de nous « recharger » en énergie tout en développant notre réceptivité, à la fois à l'égard du monde en général et de notre partenaire amoureux en particulier. Lorsque l'on s'applique ensemble (avec l'être aimé) à ouvrir ces centres d'énergie, on construit progressivement un réseau d'échange de forces qui soude la relation de manière profonde et durable, et cela quand bien même il y aurait séparation physique momentanée.

Le massage

Aussi recommanderai-je la pratique du massage. Parce qu'elles contiennent les méridiens relatifs à l'ensemble du corps, les mains sont en effet des centres de libération d'énergie privilégiés. Elles ont le pouvoir de guérir, de stimuler, de nourrir. Lorsque l'on tient la main de l'être aimé, on établit ainsi une véritable connexion de corps à corps. La plupart des gens affectionnent les massages, même si bien souvent leur importance n'est pas pleinement reconnue. Il arrive d'autre part que l'on se sente gêné en massant notre partenaire, sans doute par manque de confiance en soi, par crainte de ne pas bien faire. Il est important d'arriver à surmonter ses hésitations et ses doutes et de parvenir à une mutuelle liberté d'expression en ce domaine. Outre ses qualités relaxantes et stimulantes, le massage est un merveilleux moyen pour découvrir et apprendre à « sentir » le corps de notre partenaire.

Le massage est l'une des plus anciennes techniques thérapeutiques connues pour affecter directement les systèmes nerveux et musculaire et faciliter la circulation sanguine et lymphathique. Le sang est la force vitale qui circule à travers tout l'organisme en jouant un rôle nutritif et régulateur. Le système lymphatique, lui, est en rapport avec les glandes et les chakras. Il purifie et lubrifie. Les nerfs reçoivent et transmettent les informations et déclenchent l'action. Pour toutes ces raisons, le massage est un outil maintenant couramment utilisé dans les diverses méthodes d'éveil des sens et de guérisons naturelles.

Il existe un grand nombre de techniques de massage. L'école suédoise, l'une des plus répandues en Occident, travaille principalement sur les muscles et les autres tissus organiques du corps humain. Les mains frottent, pétrissent et tapotent les différents endroits du corps afin de soulager les tensions et stimuler la circulation. Le massage neuromusculaire, plus profond dans son action, travaille sur les nerfs, les tendons et autres tissus de liaison. On se sert des pouces et des extrémités des doigts. Cette technique requiert cependant l'emploi d'une force de pression très importante. Le shiatsu nous vient d'Orient et s'attache plus précisément aux méridiens d'énergie du corps. Il peut se révéler parfois douloureux et cela à cause de la pression intense souvent exercée sur certains points d'énergie spécifiques. Quelle que soit la méthode adoptée – il est également possible de combiner entre elles plusieurs formes de massages – nous devons prendre tout le temps qui nous est nécessaire pour que cette expérience soit à la fois utile et agréable. S'inscrire avec son partenaire à un cours de massage est une excellente façon de renforcer les sentiments de confiance mutuelle et d'intimité.

Le prélude sexuel nous procurera encore davantage de plaisir si l'on a pris soin de se libérer du stress émotionnel concentré dans les muscles. Cela nous permettra en premier lieu d'être détendu et disponible. Le massage, tout en stimulant la circulation sanguine et lymphatique, augmente la vitalité du corps et éveille sa sensibilité. De plus, il nous donne la sensation d'être pleinement nous-même et de retrouver l'Unité. Comme l'union sexuelle, le massage est une forme de communication physique. Il peut devenir un véhicule pour manifester notre amour, notre désir et la tendresse profonde que l'on éprouve pour l'autre.

Le massage est une expérience mutuelle à tous les niveaux : physique, émotionnel, mental et spirituel. L'étude du massage sensuel nous apprend à stimuler délicatement les centres d'énergie du corps afin d'obtenir certaines ouvertures ou certains relâchements spécifiques. La stimulation des zones érogènes accroît notre réceptivité à la force vitale à l'œuvre dans l'univers. Pendant l'acte sexuel, cette force vitale se déploie en nous jusqu'à atteindre ce point d'explosion que représente l'orgasme, ou libération d'énergie spirituelle. Plus nous serons ouvert et réceptif et plus nous tirerons profit de l'acte sexuel. Nous devons pour cela stimuler toutes les zones érogènes de façon que tous les centres d'énergie, ou chakras, soient convenablement ouverts.

Les huiles autrefois utilisées dans les rites sacrés ont tout à fait leur place dans les techniques de massage modernes. Les plus connues sont l'huile d'amande, l'huile d'avocat, l'huile de noix de coco, l'huile d'olive. On peut également employer certaines des huiles essentielles mentionnées dans le chapitre précédent (bois de santal ou patchouli). Nos mains contiennent de nombreuses terminaisons nerveuses et sont tout particulièrement sensibles (les extrémités des doigts sont parmi les endroits les plus sensibles du corps humain). Ainsi, lorsque l'on masse notre partenaire, il se passe un échange mutuel de sensations et de réactions.

Le premier objectif du massage érotique consiste à se familiariser avec le corps de l'autre. On doit être capable de le toucher sans que le moindre gêne ou sentiment d'inconfort vienne interférer. Le corps tout entier sera considéré comme une zone érogène. De cette manière – et plutôt que de se concentrer uniquement sur les parties génitales – tous les centres d'énergie seront stimulés. Les points érogènes sont en effet répartis sur tout le corps. Si nous sommes sexuellement attiré par une personne, ses attouchements – où qu'ils se situent – sont source d'excitation. Le massage est un excellent moyen pour localiser ces points sensibles (pour les sentir vibrer en nous) et parvenir à un plus haut degré d'intimité et d'excitation dans nos relations amoureuses.

Lorsque nous faisons l'amour avec tout notre être – et pas seulement avec le sexe – nous percevons du même coup l'intégralité de l'autre, puis l'intégralité dans l'univers. Si tous nos centres d'énergie sont ouverts, la passion et l'amour irradient tout notre être. Le massage peut grandement contribuer à la réalisation de cet idéal.

L'étreinte

Nous vivons dans un monde séparateur. Comme d'autres espèces animales, l'homme possède son territoire qui lui permet de maintenir l'entourage à distance. L'espace individuel varie en fonction du milieu culturel. Par exemple, dans les pays latins, les gens ont tendance à se tenir plus près les uns des autres pour se parler que les Américains du Nord ou les Scandinaves. L'espace individuel varie également en fonction des circonstances. On exigera notamment un certain « territoire » pour travailler dans de bonnes conditions, voire même un bureau pour soi tout seul. Mais dans un ascenseur ou dans un train bondé, on acceptera momentanément de voir ce territoire réduit au minimum ou même réduit à néant.

Ce sentiment de séparation que nous éprouvons en tant qu'adultes n'est pas un phénomène naturel mais une réaction acquise. Dans sa prime enfance, chacun adore être touché et dorloté. L'enfant a autant besoin de caresses que de nourriture. Des recherches ont récemment démontré que les nourrissons abondamment embrassés et caressés par leurs parents bénéficiaient d'une meilleure santé que les autres. En vieillissant, nous avons malheureusement tendance à considérer comme puériles de telles manifestations d'affection. En outre, beaucoup de personnes ont du mal à faire une distinction entre le contact physique affectueux et le contact passionné, et adoptent souvent une attitude de repli sur soi. Une étreinte amicale, joviale, est très différente d'une étreinte amoureuse, le chakra du sexe et le chakra du cœur générant des pulsions bien distinctes. S'il y a confusion, c'est que nous ne connaissons pas – ou trop mal – nos propres centres d'énergie.

La société nous enseigne à garder nos distances par rapport aux autres et à attendre la même chose d'eux. Dans son langage, le corps exprime clairement cette attitude : « Ne t'approche pas trop près » ou « Tu peux me toucher, mais pas n'importe quand et d'une façon que je puisse comprendre. » L'étreinte spontanée, surtout entre deux hommes, est devenue une chose rare. On se salue plus volontiers d'une poignée de main, bien que le baiser sur la joue (entre deux femmes, entre un homme et une femme) soit considéré comme approprié dans certaines circonstances. Toutefois, ces formes de rapprochement physique restent très formelles si on les compare aux étreintes entre amants.

L'objectif premier de l'acte sexuel étant d'amener deux êtres à fusionner, l'étreinte représente une étape essentielle. Elle nous permet d'affirmer notre être physique, mais aussi de soulager les tensions, de repousser le sentiment de solitude, de surmonter nos peurs et de nous ouvrir aux sentiments les plus profonds. Elle nous donne également le moyen de « sentir » le corps de notre partenaire, de l'explorer.

Bien que l'étreinte puisse apparaître comme une tâche aisée et agréable, ce n'est malheureusement pas toujours le cas. Bien des gens ne s'étreignent pas complètement, c'est-à-dire en offrant l'intégralité de leur corps. Ils tracent une sorte de frontière entre les zones à partager avec l'autre et les zones qu'ils gardent pour eux. Ce manque d'ouverture crée une distanciation qui se répercutera bien souvent sur la qualité du rapport sexuel à venir. Pour cette raison, il est important que les corps des deux partenaires s'épousent totalement et sans réserve avant de s'engager dans tout autre rapport physique.

Que nous soyons debout ou allongé, nous devons faire en sorte que tout notre corps soit en contact avec celui de notre partenaire. Tout enlacement partiel est une sorte de message codé adressé à l'autre. Par exemple, un homme qui presse ses parties génitales contre le ventre de sa compagne tout en gardant son cœur en retrait, indique par là qu'il est impatient de faire l'amour avec elle mais peu désireux de la « rencontrer » sur le plan émotionnel.

Autre aspect important de l'étreinte : savoir choisir le moment approprié. On ne commence pas une discussion en étalant impudiquement les détails de sa vie privée, surtout si l'on connaît mal son interlocuteur. L'étreinte requiert la même attention – spécialement lorsqu'il s'agit d'une relation amoureuse naissante –, le même sens de l'à-propos et du respect de l'autre (de son espace, de sa sensibilité). En créant un climat de compréhension et de confiance mutuelles, nous serons alors dans les meilleures conditions possibles pour que l'enlacement nous conduise naturellement vers une expérience sensuelle réussie.

Le baiser

Le souffle est l'énergie spirituelle qui anime l'univers. En Inde, on l'appelle *prana*. Le contrôle de la respiration est l'un des aspects fondamentaux de la pratique du yoga. Bien que notre culture occidentale ne nous ait pas habitués à considérer les exercices respiratoires comme des aides au développement spirituel, nous connaissons tous l'expression « insuffler la vie » à quelqu'un ou quelque chose. Le souffle est en effet indispensable à la vie. Mêler son souffle à celui d'une autre personne, dans un baiser, permet d'échanger et de partager avec elle notre énergie spirituelle. L'action d'inhaler illustre notre soif d'expériences ;

celle d'exhaler, leur acceptation et leur libération. Mêler son souffle à celui d'un être aimé indique également notre désir de croître et de devenir une part consciente de l'univers. Le baiser est un acte clé dans l'union sexuelle parce qu'il symbolise l'acceptation de notre rôle procréateur.

Lorsque l'on s'embrasse (je parle ici du vrai baiser amoureux) il y a échange de sécrétions buccales. Si l'on réfléchit un instant à la signification du mélange des salives, on saisit tout de suite l'importance de cet acte. La salive entame le processus de décomposition de la nourriture avant qu'elle descende dans l'estomac, initiative simultanée du mécanisme de dégustation. La dégustation de la nourriture nous donne envie de manger davantage ou bien nous signale que tel aliment particulier n'est pas plaisant au goût et devrait donc être évité.

Le baiser est ainsi le mode premier par lequel nous « goûtons » une personne. C'est également une méthode d'échange d'énergie. Si l'on ne s'embrasse pas durant le prélude puis l'acte sexuel, l'échange d'énergie reste en effet incomplet. L'une des fonctions essentielles du baiser pendant les premiers temps d'une relation est de nous permettre de déterminer si notre partenaire nous convient, si nous souhaitons vraiment l'intégrer à notre vie.

L'acte de s'embrasser provoque simultanément chez l'homme et la femme des transformations hormonales subtiles, l'échange de salives produisant une réaction chimique au niveau du cerveau. Les adeptes du tantrisme pensent notamment que lorsque la lèvre supérieure de la femme est stimulée, on ouvre un canal nerveux connecté avec son clitoris. Le fait que l'homme parvienne à une intense érection pendant le baiser tendrait d'ailleurs à prouver que lui aussi possède une telle connexion nerveuse avec ses organes génitaux.

Le baiser entre un homme et une femme – avant le rapport sexuel – permet une meilleure circulation d'énergie yin/yang et aide à renverser les barrières du doute, de la peur et de la solitude qui séparent les individus les uns des autres. Nous devons abattre ces barrières afin de libérer notre sexualité et de pouvoir nous exprimer librement avec notre partenaire. Le baiser est par essence le chemin qui mène à un niveau plus profond d'intimité et de découverte de l'autre.

S'il arrive que l'on se sente mal à l'aise en embrassant notre partenaire, nous sommes averti de l'existence d'un problème non avoué au sein de la relation. Posons-nous la question : «Qu'est-ce qui m'attire chez cette personne?» ou encore «Suis-je avec elle parce que je la désire vraiment ou parce que les circonstances m'y ont poussé?» Tant qu'on n'aura pas résolu ces questions et éclairci nos objectifs personnels, la relation ne saurait se développer.

Différentes raisons peuvent être à l'origine de cette gêne à embrasser son partenaire. Par exemple, le manque de confiance en soi, la crainte de se trouver désarmé face à la soudaine intimité amenée par le baiser. Il arrive également que l'on se sente coupable : d'utiliser l'autre pour tromper sa solitude, ou bien de ne pas donner assez de soi, de faire barrage à l'émotionnel. Autre raison encore : la relation n'est plus ce qu'elle était mais l'on ne voit pas comment s'en sortir élégamment. Quel que soit le problème, le baiser «froid» engendre un sérieux déséquilibre au niveau de l'expression des sentiments. Le courant ne passe pas. Efforçons-nous alors d'être honnête avec soi-même et avec l'autre, et cherchons la racine du mal. Un baiser dit toujours la vérité.

Le sexe oral

Embrasser le corps de l'être aimé, c'est le plaisir de découvrir son anatomie avec les lèvres, la langue, les dents; c'est aussi un moyen de stimuler ses méridiens et ses centres d'énergie. Lorsque l'on embrasse le chakra du cœur, on favorise son ouverture par relâchement de la tension émotionnelle. Un baiser prolongé sur le chakra-racine – situé entre les parties génitales et l'anus – stimule celui-ci de façon extraordinaire.

Pendant tout le temps du prélude sexuel – et tout autant quand nous faisons l'amour –, il est essentiel de communiquer verbalement avec notre partenaire, de lui faire partager ce que l'on ressent, d'être à l'écoute de ses désirs.

Si, pour beaucoup, le sexe oral est le meilleur des préludes à l'acte sexuel, il est pour d'autres source de malaise et de honte. Ces sentiments négatifs sont généralement causés par le problème des odeurs corporelles de l'autre et du désagrément que l'on peut éprouver lorsque notre bouche est en contact avec ses organes génitaux.

Chaque être et chaque chose dans la nature ont leur odeur. Non seulement chaque espèce animale possède son odeur spécifique, mais chaque animal en particulier a la sienne propre pour le distinguer des autres. Il en va de même pour les êtres humains. Notre effluve personnel est en quelque sorte notre marque d'unicité, ce qui nous distingue des autres humains. Certains effluves nous attirent davantage que d'autres, bien sûr. Comme l'apparence physique et le son de la voix, l'odeur d'une personne est un aspect important de l'attirance – ou de la non-attirance – sexuelle. Mais nous avons un tel complexe par rapport à la propreté et l'hygiène dans notre société actuelle, que nous tentons par tous les moyens – parfums, lotions, déodorants, talcs – de masquer nos odeurs naturelles. L'usage de tous ces produits est devenu si courant, si culturellement banalisé, que le fait de ne pas les utiliser paraît aujourd'hui anormal. Il n'est évidemment pas dans mon intention de discuter les règles élémentaires de propreté et d'hygiène quotidiennes, mais plutôt de redonner aux effluves corporels la place qui leur revient dans les rapports de séduction homme/femme.

Dans la nature, tout ce qui est sain sent bon. Si l'on se nourrit principalement de sucreries, de viande rouge, de sucre raffiné et que l'on fait une consommation excessive d'alcool, il est bien évident que nous «sentirons» différemment de celui qui s'alimente de fruits et de légumes frais, de céréales complètes et d'agrumes. En se servant de déodorants – et de n'importe quel autre produit de ce type – nous voilons notre odeur naturelle, élément qui joue un grand rôle dans l'attirance sexuelle. Nous brouillons ainsi notre véritable message intime pour offrir à notre partenaire un parfum commercial, une image fausse de nous-même.

Dans la tradition métaphysique, l'odeur est associée au sens de la discrimination, le nez se trouvant en effet ancré dans le chakra des sourcils – chakra de la clairvoyance et des concepts spirituels. Chaque être humain possède une allure, un son, une aura et une odeur qui lui sont particuliers. Si nous développons en nous le pouvoir de «saisir» l'autre par les sens – non seulement l'odorat, mais aussi le toucher, la vue, les organes de perception spirituels – nous saurons instantanément et avec certitude s'il est possible d'entreprendre avec lui une véritable relation amoureuse.

Nous devons être capable d'aborder l'aspect oral du sexe débarrassé de nos préjugés sur les odeurs corporelles, sans avoir besoin de les voiler artificiellement. On peut toutefois utiliser des essences naturelles qui font ressortir l'arôme particulier du corps. Embrasser le sexe de son partenaire – outre sa fonction sélective – est un acte d'échange de respirations semblable au baiser sur la bouche. Il met également en contact nos centres spirituels situés dans la tête – le chakra-couronne et le chakra des sourcils – avec les centres sexuels de notre partenaire – le chakra-racine et le chakra sacral – situés dans la région génitale. Symboliquement, le sexe oral représente l'union de la matière et de l'esprit. Si on l'aborde avec une attitude de respect et que l'on a conscience de sa signification profonde, notre expérience ira bien au-delà du pur domaine physique.

Notre société puritaine a tendance à considérer négativement le sexe oral. Selon elle, il est humiliant et dégradant de recourir à cette pratique. On peut toutefois voir les choses tout à fait différemment. En effet, cette forme de stimulation sexuelle est un acte de vénération pour le pouvoir créatif divin de notre partenaire, pouvoir symbolisé par les organes génitaux. En leur rendant hommage – par la fellation ou le cunnilinctus – nous reconnaissons et intégrons leur signification spirituelle.

Lors du sexe oral, il se produit entre les amants un échange de sécrétions corporelles et un échange énergétique, c'est-à-dire une communion à la fois physique et métaphysique. Ce processus d'échange aide à créer l'harmonie et l'intégration, individuellement d'abord puis dans le contexte du couple. Le désir de stimuler et d'ouvrir les centres sexuels et spirituels de l'être aimé est un acte d'amour et de générosité.

Les organes génitaux sont le siège du pouvoir sexuel. Chez la femme, le vagin prend le pénis et le sperme et produit l'enfant. Chez l'homme, le pénis est le point à partir duquel le sperme est partagé. Il représente son pouvoir de pénétration et de cocréation. Quand la femme offre son énergie à l'homme et reçoit la sienne en retour, l'échange des forces yin et yang (mâle et femelle) agit sur eux à la manière d'un mécanisme équilibreur. Cette circulation énergétique stimule en effet l'inconscient des deux partenaires de sorte à créer une unité entre leur masculinité et leur féminité intérieures. La femme prend en elle l'énergie masculine qui l'aide à conscientiser son homme intérieur (Animus), tandis que l'homme incorpore l'énergie féminine de sa partenaire pour conscientiser sa femme intérieure (Anima). Pour cette raison, s'il est accompli avec un respect et une sensibilité mutuels, le sexe oral permet à l'homme et à la femme d'étendre le champ de leur conscience et de progresser vers une union plus harmonieuse et plus complète.

Il y a encore un autre aspect du sexe oral qu'il est important d'évoquer... Lorsque l'on place la tête (le centre spirituel) à la base de la kundalini de notre partenaire (le chakra-racine), nous éveillons notre propre kundalini dans notre tête, c'est-à-dire les glandes pinéale (masculine) et pituitaire (féminine). L'éveil de ces deux glandes stimule le centre phychique situé au-dessus du nez (le troisième œil des occultistes), siège de la clairvoyance et de l'illumination. Si les deux partenaires font l'expérience simultanée de l'ouverture du troisième œil, ils élèvent leur niveau de perception spirituelle et unissent leurs destinées.

Idéalement, l'enrichissement psychologique et spirituel que procure le sexe oral est plus intense lorsque les deux partenaires sont conscients de la dimension religieuse de leurs actes. Toutefois, dès lors que l'expérience sexuelle se fonde sur l'amour et le respect de l'autre, elle ne pourra que leur être bénéfique.

Par contre, le sexe oral dénué de sentiments positifs, accompli sans amour ni considération pour l'autre, peut avoir des effets désastreux pour l'homme comme pour la femme. Les puissantes énergies qui sont en jeu, dénaturées et perverties, ont alors des effets négatifs à différents niveaux. Peuvent survenir des tendances cruelles et sadiques, ou l'impression pour l'un ou l'autre des partenaires d'être manipulé et exploité. Dans certains cas extrêmes, une telle attitude peut créer chez l'homme un réflexe de méfiance et de crainte à l'égard du sexe féminin, et développer chez la femme un sentiment de malaise – voire de haine – à l'égard du sexe masculin. Une mauvaise approche du sexe oral aura presque toujours comme conséquence de faire régresser une relation amoureuse au lieu de l'élever et de la spiritualiser.

Il arrive que le désir de s'engager dans un rapport oral ne soit pas réciproque, l'un des deux partenaires voulant bien recevoir mais pas donner. C'est un peu comme s'il disait à l'autre : «Tu rends hommage à mon pouvoir, mais je ne rends pas hommage au tien. Sacrifie-toi pour moi.» Ou bien la situation opposée, l'un ou l'autre voulant bien donner mais pas recevoir : «En donnant, je suis en position de contrôle. Je prends ton pouvoir mais ne t'abandonnerai pas le mien.» Ce genre de comportement est malheureusement très répandu. Il illustre la lutte pour le pouvoir au sein du couple, le refus – pour l'homme ou la femme – de reconnaître l'autorité de l'autre et de rendre hommage à son essence divine.

Si l'échange entre partenaires n'est pas équilibré, c'est l'ensemble de leur relation qui en est affecté. Au lieu que celle-ci se développe, elle stagne ou régresse. Il est donc essentiel que l'homme et la femme sachent justement donner et recevoir lorsqu'ils font l'amour. Sans un épanouissement sexuel réciproque, l'amour n'atteindra jamais sa dimension spirituelle.

Le prélude sexuel, de par sa diversité et ses effets hautement stimulants, permet l'ouverture de nos centres d'énergie. Il nous donne une vision claire et dynamique de notre relation amoureuse, nous permet de développer notre vision intérieure et notre sens de la discrimination. Grâce à ces moments d'intimité précédant l'acte sexuel, nous aidons notre partenaire à atteindre son plus haut niveau de perception avant de fusionner totalement avec lui.

11

La philosophie de l'acte sexuel

L'acte sexuel symbolise l'interpénétration de deux destinées qui n'en font plus qu'une. C'est un acte sacré, une union du ciel et de la terre, de l'esprit et de la matière. On ne saurait le limiter au plaisir qu'il procure ou à son aspect procréatif. Il peut être à la fois source d'extase et d'accroissement de pouvoir, source d'inspiration et d'élargissement de la conscience. À travers lui, nous participons au processus d'évolution à l'intérieur duquel nous devenons − à la fois individuellement et en tant que couple − les véhicules de la manifestation du pouvoir divin sur le plan physique. Lorsque nous nous unissons sexuellement avec une personne, outre le phénomène d'échange d'énergie, nous partageons également sa destinée, que ce soit pour la vie ou pour un moment seulement. Il arrive qu'un rapport sexuel marque le début d'une connexion avec l'âme sœur qui se prolongera dans nos vies futures.

Pour toutes ces raisons, il est important de saisir les dimensions cachées de l'acte sexuel et, au besoin, de remettre en question certaines de nos opinions préconçues, certaines images véhiculées par le cinéma, les médias ou la littérature sentimentale. Si nous voulons vraiment saisir la dimension profonde du sexe, nous devons dépasser toutes les définitions, tous les stéréotypes que nous impose la société et élever notre conscience jusqu'à ce que notre perception englobe à la fois les plans physique, émotionnel, mental et spirituel.

Comme on peut le constater à travers la lecture du *Kama Sutra* ou de certains textes taoïstes, la tradition antique révérait l'acte sexuel. Au même titre que d'autres pratiques sacrées, il faisait l'objet d'études approfondies afin que sa finalité et sa technique puissent être clairement comprises par tous. À l'instar des mystiques chrétiens, les adeptes de l'hindouisme et du bouddhisme considéraient que le corps était le temple de l'âme. Lui-même une manifestation de la création divine, le corps permet aux hommes et aux femmes – à travers le rapport sexuel – de se mettre en contact avec le cosmos. Selon les traditions hindouiste et tantrique (qui pensaient qu'on pouvait accéder à l'illumination par certaines pratiques sexuelles spécifiques), l'accouplement était un moyen pour éveiller et canaliser l'énergie sexuelle – la kundalini – vers les chakras supérieurs situés dans la tête. Cette circulation d'énergie et son explosion finale – l'orgasme – devaient ainsi être conscientisées et parfaitement maîtrisées. De cette façon, le plaisir, l'énergie et les révélations spirituelles acquises lors du rapport sexuel pouvaient être utilisés plus efficacement par les deux partenaires, soit pour un travail spirituel précis – méditation – soit pour mieux se connaître eux-mêmes. Beaucoup de siècles ont passé depuis la formulation de ces principes. Malgré cela, à l'heure actuelle, le potentiel spirituel inhérent à l'acte sexuel et à l'orgasme est trop souvent ignoré ou mésestimé.

Puisque nous sommes par essence des êtres spirituels, nous avons en nous la possibilité d'apprendre à révérer ce dieu ou cette déesse que nous sommes. Dans cette perspective, l'acte sexuel peut devenir une véritable union entre le dieu et la déesse intérieurs, c'est-à-dire infiniment plus qu'un simple accouplement physique destiné à assouvir les sens.

Énergie mâle/femelle

Il est important de bien comprendre ce que représentent ces énergies afin qu'elles puissent être consciemment échangées avant et après l'acte sexuel. Le principe mâle, Shiva dans la tradition tantrique, est figuré par un phallus en érection. Troisième déité du panthéon hindou, Shiva est à la fois le destructeur et le créateur, celui qui régénère à un niveau supérieur. Il est le symbole de l'Esprit de l'Univers dans sa forme dynamique. La femme porte en elle ce principe mâle dont le clitoris est l'aspect manifeste. Le phallus et le clitoris atteignent tous deux l'érection avant et pendant l'activité sexuelle. Shiva incarne la totalité des connaissances spirituelles. Le *Shiva Samhita,* un texte tantrique fondamental, déclare que «ceux qui vivent par la loi de Shiva sont héroïques, entreprenants, pleins de sang-froid et de lucidité, adroits, persévérants et talentueux».

L'énergie femelle, Shakti dans la tradition tantrique, est la force créatrice de l'univers. Shakti renferme l'océan des possibilités à travers lequel le principe mâle peut agir. C'est la concentration de cette énergie chez la femme qui lui permet de concevoir les enfants, de les porter puis de les mettre au monde. Les qualités de Shakti sont la sensualité, la créativité, la foi et la dévotion. Elle porte en elle le mystère de la création universelle. La femme est la grande prêtresse qui initie les hommes aux secrets de la sexualité. L'homme est son amant et son héros, celui pour qui elle crée. Selon Nik Douglas et Penny Slinger dans leur livre «Secrets sexuels» :

> «Les concepts de Shiva et Jiva, le principe mâle déifié et l'âme immortelle individuelle, ont une importance considérable pour ceux qui souhaitent s'adonner à l'amour tantrique. Si vous vous identifiez à Shiva, le transcendantal, vous prendrez progressivement conscience de la nature essentiellement divine de l'interaction entre le féminin et le

masculin. Si vous envisagez votre partenaire comme étant la personnification du transcendantal, au-delà de toute prévision et de toute limite connue, l'expérience de la transcendance entrera dans votre relation. Si vous servez l'être aimé avec foi et dévotion, l'énergie créatrice Shakti éveillera le principe intérieur Shiva. Avec Shakti pour contrepartie, la conscience pure de Shiva pourra alors se déployer. À la faveur de l'union intime de Shiva et de Shakti dans le plaisir extatique, Jiva, l'âme individuelle, est libérée des chaînes de ses vies antérieures. Le couple peut ensuite prendre son essor vers les hautes cimes de la Libération. »

Le vagin : calice alchimique

. Le mouvement féministe nous a aidées à prendre conscience de toutes les attitudes négatives entretenues par notre société concernant le corps féminin en général, les seins et le vagin en particulier. Les femmes ont aujourd'hui une plus grande confiance en elles et peuvent commencer à remettre en question nombre de critères masculins, ou patriarcaux, à propos de la beauté féminine (jeunesse, poitrine généreuse, taille fine, etc.). Après tant d'années passées à la poursuite de la poitrine idéale, les femmes s'acceptent enfin telles qu'elles sont et quel que soit leur tour de poitrine. Elles ne craignent pas de la dévoiler en partie – corsages transparents et robes échancrées – et, chose inimaginable pour la génération précédente, il arrive de voir certaines d'entre elles allaiter en public.

Néanmoins, le vagin est encore souvent considéré comme « sale » à la fois par les hommes et par les femmes. Comme par le passé, il reste frappé d'un puissant tabou. Nous semblons avoir perdu contact avec la beauté et l'importance qu'il incarne et représente.

Dans la haute Antiquité, le vagin était honoré lors des cultes célébrés pour la Terre-Mère (religions de la

Déesse). Les cultures matriarcales de cette époque estimaient d'ailleurs les organes féminins pour leur beauté. On trouve dans de nombreux temples des représentations peintes ou sculptées de vagins (également de phallus) attestant la considération dans laquelle on le (les) tenait. Les déesses enceintes étaient pareillement vénérées et, jusqu'au Moyen Âge, on considérait qu'une femme ayant déjà prouvé sa fertilité était de plus de valeur pour la société qu'une autre qui n'avait encore jamais conçu.

Pendant et après la montée du système patriarcal, les femmes furent rabaissées au rang d'êtres inférieurs, leur qualité procréatrice souvent traitée avec mépris. La grossesse était une chose nécessaire, mais à ne pas montrer. Cette attitude atteignit des sommets à l'époque victorienne où l'on attendait des femmes enceintes qu'elles dissimulent leur état par tous les artifices possibles. Les temps ont heureusement bien changé... Reste cependant qu'une grande majorité d'hommes continuent de penser qu'une femme enceinte ne présente aucun attrait sexuel. Même si l'image de la féminité a considérablement changé au cours des dernières décennies, notre culture place toujours au premier rang le stéréotype de la jeune femme mince, non fécondée. Un homme d'une cinquantaine d'années est jugé plus attirant qu'une femme du même âge.

Pendant l'acte sexuel, le vagin reçoit la semence de l'homme et l'unit aux ovules pour donner naissance à l'œuf. Le vagin est en quelque sorte le creuset de la conception. Les scientifiques ont réussi à filmer tout ce processus de conception et de gestation que je ne peux m'empêcher de qualifier de *magique*.

Mais le rôle du vagin a également une signification symbolique. On l'a associé à la Terre-Mère parce que, comme le sol nourricier, il reçoit la graine, la fait germer et produit un fruit. Ce n'est pas seulement le creuset où l'enfant est créé, mais aussi le lieu symbolique où toute idée ou possibilité peut être transformée et restituée à l'homme – ou au couple – à travers l'acte sexuel.

Chaque femme a besoin de reconquérir, de revendiquer la déesse primordiale qu'elle porte en elle. Outre son rôle de femme fertile, elle doit pouvoir assumer symboliquement celui de la jeune vierge (symbole de possibilité), celui de la vieille femme (symbole de sagesse). Tant que la femme moderne n'aura pas rétabli le contact avec les pouvoirs et les mystères de la Déesse antique, le vagin restera cantonné à sa fonction d'organe reproducteur. On oubliera de voir en lui un creuset de transformation sur le plan du développement intérieur. La terre est notre maison. Elle est source de mystère, de pouvoir et de nourriture. La femme est aussi tout cela.

Le pénis : la baguette magique

Le pénis, l'organe sexuel de l'homme, a toujours symbolisé le pouvoir. Toutefois, comme le vagin, sa véritable signification s'est peu à peu dégradée. Dans notre société, il n'est bien souvent qu'un bélier obscène cherchant par tous les moyens à imposer la loi masculine. Il est également symbole des abus de pouvoir dont l'homme se rend coupable, à la fois à l'égard de la femme et de la terre. Il est le destructeur du réceptif, du vulnérable, symbole de libertinage et de concupiscence.

Le phallus a cependant une signification symbolique plus profonde... Ainsi, la tradition tantrique le tenait pour « le bâton du pouvoir » capable d'éveiller la femme, de lui révéler sa propre créativité, sa fertilité. Cette image était également répandue en Europe. Ce n'est pas par hasard si les contes de fées (« La Belle au bois dormant », par exemple) représentent toujours le beau prince comme l'« éveilleur » de la jeune fille. Le masculin, le phallus, agit comme un révélateur sur la potentialité féminine.

Dans son livre, « La Métaphysique du sexe », Julius

Evola nous dit que « le symbole phallique exprime aussi le principe de la virilité transcendantale, surnaturelle et magique... Ainsi, le phallus était associé au mystère et à l'espoir de la résurrection, au pouvoir qui pouvait en résulter. »

Parce que le pénis durcit pendant l'acte sexuel, se relâche puis devient dur à nouveau s'il est stimulé, on l'a associé à l'idée de résurrection et de régénération, et cela depuis l'époque des pharaons. En Égypte, en Grèce et dans la Rome antique, on retrouve fréquemment son image (peintures ou statues) sur les tombeaux et dans les cimetières.

Le pénis était également symbole de protection. Evola raconte que les murs d'enceinte de nombreuses villes de l'Italie antique étaient ornés de phallus sculptés, leur pouvoir magique étant supposé protéger les habitants. Au Japon et dans d'autres parties du monde, le phallus était une amulette très courante que l'on portait pour se protéger à la fois spirituellement et physiquement.

L'acte d'insémination de la femme par l'homme, outre le fait qu'il engendre un enfant, engage les deux partenaires à partager les mêmes responsabilités et le même destin concernant le fruit de leurs amours. Quand l'homme utilise son pouvoir magique pour semer ses graines de créativité à tous les niveaux de sa partenaire au sein de leur relation, ils produisent ensemble un autre type d'enfant : leur destin en tant que couple. Cette destinée partagée les soude l'un à l'autre et peut éventuellement se développer indépendamment d'eux, allant au-delà de leurs énergies individuelles. C'est grâce à cette union magique que l'homme et la femme peuvent, ensemble, engendrer un processus de transformation et atteindre la communion spirituelle.

À travers l'union de la « baguette magique » et du « creuset de transformation » une nouvelle vie vient à naître, l'enfant pouvant être réel ou symbolique. L'enfant symbolique s'incarne dans l'amour, l'union, la compréhension ou le sentiment de pouvoir qu'éprouvent les deux partenaires, parfois même dans l'illumination spirituelle et la transfiguration du couple à tous les niveaux.

Le sexe va bien au-delà de l'acte physique pur. Si nous apprenons à regarder les organes génitaux masculins et féminins pour ce qu'ils sont, c'est-à-dire des instruments de magie, notre expérience de la sexualité n'en sera que plus intense et plus élevée.

L'orgasme

À l'opposé d'une production mentale uniquement conditionnée par l'intellect, l'orgasme est une réaction instinctuelle et involontaire du corps à teneur physique, émotionnelle et spirituelle.

Le chemin qui mène à l'orgasme est à la fois fascinant et excitant. Après une stimulation génitale – avec ou sans attouchements – le sexe de l'homme devient dur, celui de la femme chaud et humide. L'homme ressent alors un désir urgent de pénétrer sa partenaire qui s'ouvre pour lui. Il est actif, elle est réceptive. Ils représentent à eux deux les polarités des forces universelles.

Deuxième étape de la montée vers l'orgasme : celle du jeu sexuel avant la pénétration. La tendresse et l'humour jouent ici un grand rôle – voir à ce sujet le chapitre sur le prélude sexuel. À travers leurs baisers, leurs caresses et leurs rires, les amants peuvent librement inverser les rôles actif/réceptif, inventer leur danse nuptiale personnelle.

L'état d'excitation atteint pendant le prélude sexuel augmente encore après la pénétration. L'homme et la femme sont au paroxysme du désir. Il veut entrer en elle, elle veut le recevoir dans son ventre. Des ondes de plaisir secouent leurs corps et leurs âmes sont en harmonie. Leurs mouvements de hanches se synchronisent tandis qu'ils continuent de s'embrasser et de se caresser. Ils se parlent. Ils produisent des petits sons inarticulés. Pour prolonger et intensifier le sentiment de volupté qui les porte, ils peuvent alors choisir de bouger plus lentement, marquer de courtes pauses. Ils s'abandonnent l'un et l'autre et l'un à l'autre à cette merveilleuse célébration de l'instant qu'est l'amour charnel.

La dernière étape avant l'orgasme est celle où les deux partenaires renoncent au contrôle de leur ego pour honorer l'instinct. Mis en contact avec leur nature animale primaire, ils s'enflamment. Ils se mettent à bouger à un rythme de plus en plus rapide. Leurs respirations et leurs battements de cœur s'accélèrent. Ils transpirent. Ils sont totalement immergés dans l'acte sexuel. Ils ne pensent plus à rien d'autre.

Lorsque toutes ces sensations ont atteint leur point optimal, l'orgasme se déclenche. Les amants ne forment plus qu'un. Les muscles entourant la base du pénis et l'ouverture du vagin se contractent spasmodiquement, provoquant peu après l'éjaculation de l'homme. Selon les maîtres taoïstes, la femme éjacule aussi et produit trois types différents de fluides, ou d'«eaux».

Après l'orgasme, le corps éprouve une sensation de relâchement accompagnée d'une intense satisfaction émotionnelle et spirituelle. Les deux partenaires font l'expérience de la connexion transcendantale avec la Source Universelle.

L'orgasme nous propulse au-delà de nos limites, à la fois sur les plans physique, mental et psychologique. Il nous met simultanément en contact avec notre moi terrestre et notre moi spirituel. Dans certains cas, l'expansion de la conscience peut nous attirer hors de la réalité tridimensionnelle pour nous faire entrevoir une «autre» réalité, plus complète, plus objective. C'est sans doute l'une des raisons pour lesquelles l'orgasme est parfois désigné sous le nom de «petite mort». Nous mourons au monde connu pour renaître dans une nouvelle dimension.

L'orgasme est l'un des aspects du rythme naturel d'expansion-contraction de l'univers. Les poumons se gonflent puis se rétractent tandis que nous prenons en nous la force vitale; le cœur lui aussi se dilate et se resserre. À l'image du cœur et des poumons, l'orgasme est l'expression naturelle des rythmes vitaux. Au début de l'acte sexuel, la cadence des mouvements pelviens est volontairement orchestrée par l'ego puis, passé un certain seuil d'excitation, nos corps se connectent avec la rythmique instinctive intérieure et l'ego abandonne peu à peu le contrôle de la situation. Au cas où l'ego ne lâche pas prise, l'orgasme sera incomplet, limité aux régions génitales. Nous devons être capable de renoncer à notre moi conscient pour nous livrer sans réserve à la fois à l'être aimé et à l'acte sexuel lui-même avec sa rythmique instinctive. Alors, nous serons vraiment en harmonie avec les pulsations vitales universelles. Lorsque l'union sexuelle est motivée par de vrais sentiments d'amour, l'excitation a une plus grande chance d'atteindre le chakra du cœur et de déclencher un orgasme complet, c'est-à-dire impliquant le corps dans son ensemble.

Dans son livre «Secrets taoïstes de l'amour: cultiver l'énergie sexuelle mâle», Mantak Chia a décrit un tel orgasme:

> «C'est le fait d'échanger votre ching (énergie) avec celle de votre partenaire qui la transforme. Et, grâce à cette transformation mutuelle, l'acte sexuel devient une véritable communion dans l'amour. L'orgasme ainsi obtenu diffère totalement de celui que connaissent les simples éjaculateurs. Le plaisir s'étend à tout le corps comme une vague immense et ne se limite pas à la région génitale.»

Cet orgasme complet se propage dans tous nos corps, physique et subtils. Il représente le fondement sur lequel pourra s'instituer une authentique relation d'âme sœur à âme sœur. Cette forme de jouissance absolue n'est cependant pas réservée aux mystiques et aux adeptes du tantrisme, elle est à la portée de chacun de nous. Tout trésor doit néanmoins être mérité.

Pour parvenir à cette intensité de plaisir, les amants doivent faire preuve de patience et d'application, s'aimer profondément, avoir le sens du partage et de la communication. Ce type d'orgasme dissout spontanément les sentiments de séparation ou d'isolement que l'on peut éprouver. Il se crée une unité avec l'être aimé en même temps que l'on passe dans un état de conscience altéré. On se sent appartenir corps et âme à l'énergie créatrice de l'univers, aux forces d'amour et d'harmonie. Il y a fusion intérieure avec notre partenaire et expansion vers l'extérieur dans une même vibration d'extase. Ce que nous éprouvons alors avec l'être aimé est très proche de la sérénité spirituelle. L'ego a lâché prise pour laisser s'exprimer notre liberté intérieure, la force mâle active s'équilibrant avec la force femelle réceptive. Ces sentiments de paix et d'unité – avec notre partenaire et avec l'univers – manqueront toujours aux couples qui ne font pas l'expérience de l'orgasme complet.

Dans le chapitre suivant, nous étudierons plus en détail les moyens d'y parvenir.

L'orgasme multiple

L'un des développements les plus récents de la psychologie moderne est la redécouverte des qualités multi-orgasmiques de la femme. Une notion qui remettait en question bien des préjugés hérités de l'ère victorienne, notamment celui selon lequel les femmes n'avaient *jamais* d'orgasmes. On pensait d'ailleurs à cette époque que le sexe faible ne s'intéressait aucunement à la sexualité. Les rapports sexuels entraient dans la catégorie des devoirs conjugaux que la femme se devait d'accomplir (et bien souvent de subir) afin de satisfaire son mari et d'assurer sa descendance. L'idée que l'acte sexuel puisse – et doive – procurer du plaisir était considérée par beaucoup de gens comme totalement absurde. Durant ces dernières décennies, il est devenu évident non seulement que les femmes trouvaient du plaisir à faire l'amour, mais aussi qu'elles étaient potentiellement disposées à l'orgasme. En fait, on pense aujourd'hui que toute femme est capable de jouir plusieurs fois lors du même rapport sexuel. Comme on pouvait s'y attendre, une telle affirmation eut pour effet de destabiliser le sexe fort. Les hommes trouvaient déjà assez difficile de procurer un orgasme à leur compagne, mais deux ou trois !...

Il convient avant tout de comprendre la signification cachée de l'orgasme multiple. En termes métaphysiques, l'énergie femelle réceptive est celle de l'abondance. Comme telle, elle est capable de multiplicité – conception des enfants. La tradition érotique taoïste et tantrique insiste sur les facultés multi-orgasmiques des femmes et affirme que l'homme peut également accéder à l'orgasme multiple s'il est connecté avec sa partenaire sur les plans du cœur et de l'âme.

Lorsque la femme est excitée sexuellement, son clitoris, ses grandes et ses petites lèvres et son point G (réseau de vaisseaux sanguins entourant l'urètre) se gonflent de sang et durcissent. Certains chercheurs pensent d'ailleurs qu'elle possède la même quantité de tissus érectiles que l'homme. Cette analogie nous engage à réviser les opinions traditionnelles concernant la réactivité sexuelle des femmes. Mon expérience de thérapeute m'a prouvé qu'un grand nombre d'entre elles avaient de fortes pulsions sexuelles et pouvaient atteindre l'orgasme au moment où elles le désiraient.

Les hommes et les femmes n'ont pas la même constitution mais leurs énergies (yin/yang), bien que différentes, sont complémentaires. Comme les deux faces d'une médaille. S'ils ne sont pas toujours sexuellement stimulés par les mêmes choses, les deux ont toutefois le même désir intense de parvenir à l'orgasme. Toutes les autres prétendues différences proviennent de préjugés culturels («les femmes jouissent difficilement», ou «les hommes prennent davantage de plaisir à faire l'amour»), et non de réalités physiques ou psychologiques.

Contrairement à l'énergie réceptive féminine (abondance), l'énergie spirituelle et sexuelle masculine est unipolaire. Elle tend vers l'unité et la concentration, qualités qui lui permettent d'acquérir une densité extraordinaire capable de propulser les deux partenaires à un niveau de conscience supérieur. Le corps masculin est parfaitement bâti pour remplir cette tâche, le pénis conçu pour la puissante poussée en avant essentielle à la pénétration.

L'un des objectifs premiers des cérémonies tantriques consistait pour les deux partenaires à jouir simultanément. Ils devaient aller ensemble au-delà de leurs limites et partager ce moment de transcendance. L'orgasme mutuel n'implique aucunement que l'un ou l'autre des partenaires se retienne en attendant l'autre, mais plutôt qu'ils aient un but commun et œuvrent ensemble pour l'atteindre.

Dans une relation basée sur le principe de communion et de développement de la conscience, on partage les émotions et les sensations de l'être aimé. L'homme et la femme doivent être capables de faire *ensemble* l'expérience d'orgasmes différents. Il ne s'agit pas que la femme laisse passivement l'homme lui procurer son orgasme, mais que tous les deux prennent la responsabilité de leurs rôles et le réalisent ensemble. La jouissance n'est pas un but en soi. Elle est principalement la clé qui ouvre les portes de la transcendance et du dépassement. On ne devrait jamais dire «mon» orgasme ou «ton» orgasme, mais «notre» orgasme.

Perdre de vue cette notion d'orgasme partagé, c'est risquer de développer un esprit de compétition qui ne peut être que nuisible à l'ensemble de la relation. Que ce soit la femme qui sacrifie sa propre jouissance pour favoriser celle de son compagnon, ou que ce soit l'homme qui, par défi ou par fierté, ait décidé de faire jouir sa partenaire cinq fois avant de s'autoriser à avoir lui-même un orgasme. Dans les deux cas, il y a une prise en charge de l'orgasme de l'autre. Pas de partage des responsabilités mais compétition perpétuelle. Au lieu de s'unir dans la complicité, le couple se divise.

Partager, c'est savoir donner et savoir recevoir. Tandis qu'ils franchissent les diverses étapes de l'intimité et de l'excitation, les amants trouvent peu à peu un terrain d'égalité où tous les deux sont stimulés au point d'aller au-delà de leurs limites. Parce que la femme est multi-orgasmique, elle donne et il reçoit. L'homme reçoit l'énergie libérée par l'orgasme de sa compagne. Tout son être en est irradié. Dans notre culture, il est naturel que l'homme ait le rôle actif et la femme le rôle réceptif. Toutefois, lorsque cette dernière donne et que l'homme reçoit, l'inversion des rôles peut donner lieu à d'intéressants changements dans la dynamique mâle/femelle.

Afin de parvenir à cette notion d'égalité mentionnée précédemment, nous devons apprendre à entrer en relation avec notre inconscient, à le laisser s'exprimer. L'homme s'efforcera de se mettre en contact avec sa nature réceptive, la femme avec sa nature active. Être réceptif ne signifie pas être passif. L'homme doit stimuler sa partenaire (qui est active) ; la femme, bien que jouant un rôle plus actif, sera néanmoins réceptive à ses stimulations. En se stimulant ainsi l'un l'autre tout en inversant continuellement les rôles, les amants développent une nouvelle forme d'intimité et de communion.

12

L'acte sexuel

Pour la plupart des couples, l'acte sexuel est l'expression la plus intime et la plus profonde de l'amour qu'ils éprouvent l'un pour l'autre. Outre le fait qu'il permet de manifester les forces d'amour et de passion sur les plans physique, émotionnel, mental et spirituel, l'acte sexuel provoque un échange et un partage de son pouvoir personnel avec celui de l'être aimé. Pour cette raison, il nous rapproche de notre essence spirituelle et établit les fondations pour l'expansion de la conscience et la transformation individuelle.

Tout au long des onze chapitres précédents, nous avons analysé les rôles sexuels des hommes et des femmes à travers les âges, et compris en quoi ils continuaient d'exercer une influence sur nous. Nous avons également évoqué la dynamique de l'attraction sexuelle et de quelle façon nos centres d'énergie aidaient à approfondir nos affinités – émotionnelles, mentales et physiques – avec notre partenaire. C'est à travers ce processus d'ouverture de soi – et la connaissance des circuits d'énergie intérieure – que l'on peut commencer à prendre ses responsabilités dans le domaine des relations avec les autres. On comprend mieux ce qui fait qu'un rapport amoureux sera ou ne sera pas fructueux. Notre sensibilité s'aiguise et, apprenant à maîtriser et orienter notre énergie, nous devenons plus attentif aux désirs de notre partenaire, plus lucide quant à la dynamique cachée qui agit au sein de toute relation.

Je me propose dans ce chapitre d'examiner certains aspects pratiques de l'acte sexuel. Ce n'est pas une tâche aisée, l'un des dangers des manuels de sexologie étant justement d'exposer des formules et des procédures spécifiques en pensant qu'elles peuvent convenir à tous. Je tiens donc à préciser que les informations concrètes que je donne ici sur la technique et les positions de l'amour doivent davantage être considérées comme des jalons que comme une suite d'instructions à suivre à la lettre. Nous sommes tous différents. Nos désirs et nos besoins sont la marque de notre unicité. C'est en développant l'harmonie et l'intuition à l'intérieur de notre relation amoureuse que nous saurons si telle ou telle méthode est – ou n'est pas – susceptible de nous aider à nous réaliser. J'ajouterai en outre que chaque individu a du sexe une approche différente selon son niveau de compréhension. Si certaines pratiques sexuelles nous embarrassent ou nous troublent, c'est que nous ne sommes pas encore prêt à les intégrer. Rien ne doit être forcé. Ce livre n'est pas un manuel de sexologie. Pour le maître soufi J.G. Bennett, « le véritable bonheur du sexe ne réside ni dans la stimulation mentale ni dans l'excitation physique, mais dans la clarté, dans la puissance et la force de l'expérience sur tous les plans de l'être ».

Visualisation et méditation

Il est essentiel, avant toute chose, de trouver le juste équilibre entre la spontanéité de l'acte sexuel et la préparation de l'« espace romantique ». La routine et l'ennui représentent de graves périls dont malheureusement beaucoup de couples sont victimes. Chaque jour qui passe est différent du précédent et nous sommes nous-même en perpétuelle transformation. Il y a dans la nature une grande part de spontanéité que nous devons à tout prix préserver dans notre vie sexuelle. Elle nous rapproche de notre moi profond et nous met en harmonie avec la terre.

L'aménagement d'une ambiance particulière avant de faire l'amour a cependant son importance, nous l'avons vu dans le chapitre 9. Le choix conscient de certaines couleurs, d'une musique, d'un éclairage ou d'une forme de stimulation donnée peuvent être de précieux auxiliaires – voire même de puissants catalyseurs – dans le déroulement du jeu sexuel.

La prière et la méditation nous aident à créer notre réalité. Je l'ai expliqué plus tôt, ce que nous sommes aujourd'hui est le résultat des efforts combinés du conscient et de l'inconscient. Si nous voulons que nos désirs conscients deviennent réalité, nous devons auparavant nous assurer que notre inconscient fonctionne à partir d'une mémoire émotionnelle et de schémas psychologiques enfouis dans notre esprit dont nous n'avons pas toujours conscience. En s'efforçant donc de conscientiser cette face cachée de nous-même, nous devenons plus entier, plus à même d'orienter notre énergie et de parvenir à ce que nous nous sommes fixé.

L'un des objets fondamentaux de la prière et de la méditation est de nous amener à créer consciemment la visualisation, ou l'image, de ce que nous désirons. En plus de l'investissement émotionnel, on associe à cette image une volonté divine – notre dieu intérieur, l'Esprit Universel – pour nous aider à repousser toute intervention négative inconsciente susceptible de nuire à la réalisation de notre désir. Par la relaxation, la contemplation et la visualisation de ce que nous attendons réellement de notre expérience amoureuse, nous faisons passer ces images positives et dynamiques sur le plan de la réalité.

Une technique de méditation très simple consiste à s'asseoir face à son partenaire dans une position confortable. On inspire lentement et profondément par le diaphragme jusqu'à se sentir tout à fait détendu et bien centré. Imaginez-vous maintenant, vous et votre partenaire, enveloppés d'une sphère de pure lumière blanche. Vous commencez à voir les multiples points de connexion qui vous unissent, par le cœur, les émotions, le mental et les parties génitales.

Vous ressentez cet amour qui vous pousse l'un vers l'autre. À présent, visualisez le rapport charnel en tant qu'acte d'amour et de révérence. Si vos yeux sont fermés, ouvrez-les et regardez dans les yeux de votre partenaire. Allez au-delà de son enveloppe physique. Efforcez-vous de percevoir son essence tout en gardant présents à l'esprit les points qui vous connectent l'un à l'autre.

Après quelques minutes, peut-être l'envie vous viendra-t-elle de prier – silencieusement ou à haute voix. Demandez alors à votre dieu intérieur de poser les fondements de ce que vous voudriez que soit cette expérience sexuelle. Par exemple : «Je prie pour me libérer du contrôle rigide du mental», «je souhaite m'abandonner à la force d'amour que je ressens en moi», «je veux satisfaire tous les désirs de mon – ou de ma – partenaire, et je demande à mon dieu intérieur de m'aider à me mettre en contact avec ma nature instinctuelle», ou simplement «je prie pour donner le meilleur de moi-même».

Il est toujours préférable de procéder par affirmations que de faire des demandes spécifiques telles que «je veux avoir un orgasme multiple». Ces demandes nous font aborder l'acte sexuel avec un mental trop actif, ce qui a pour conséquence directe de briser l'élan émotionnel. De plus, vouloir à tout prix s'imposer un but précis risque de créer une grande tension nerveuse entre nous-même et notre partenaire et de compromettre le bon déroulement du rapport sexuel.

Autre trait important de l'expression verbale : la formulation positive. Au lieu de dire «je ne veux pas bloquer mes sentiments amoureux», on dira «je veux libérer mes sentiments amoureux». De cette façon, on met l'accent sur le côté positif de l'inconscient plutôt que sur son côté négatif.

Les positions

À l'image d'une posture de yoga, ou *asana,* chaque position amoureuse possède des propriétés spécifiques nous permettant de libérer et d'orienter notre énergie intérieure, de la faire circuler entre les différents chakras. Bien que la plupart des gens adoptent instinctivement telle ou telle position pour les sensations qu'elle leur procure, l'usage conscient des postures de l'amour ne peut qu'intensifier l'expérience sexuelle.

Il est important que l'homme et la femme s'habituent à changer de rôles pendant qu'ils font l'amour. Dans notre culture, on attend de l'homme qu'il assume son rôle dominateur tandis que la femme se doit d'être soumise. À ces termes qui me semblent par trop limitatifs, je préfère substituer ceux d'« actif » et de « réceptif ». Le meilleur moyen pour que ces énergies complémentaires ne cessent d'aller et venir entre les deux partenaires, c'est de changer de positions au cours de l'acte sexuel. En apprenant à passer librement du rôle actif au rôle passif, à partager les qualités masculine et féminine avec l'être aimé, nous accédons à un niveau de communication plus profond favorisant l'orgasme simultané.

Lorsque l'un des deux partenaires refuse de changer de rôle, donc de positions, cela sous-entend qu'il – ou elle – a décidé de limiter l'acte sexuel à une expérience unidimensionnelle. La décision est généralement inconsciente. Le fait d'être capable de passer du rôle actif au rôle passif symbolise l'équilibre du « donner » et du « recevoir ». Si nous ne savons pas nous abandonner à notre partenaire et lui permettre d'être celui qui donne, nous ne saurons jamais véritablement recevoir. Nous devons donner à l'autre la possibilité de donner puis de recevoir.

L'échange mutuel des rôles actif et réceptif n'est cependant pas toujours facile à accepter en raison des forts préjugés culturels qui pèsent sur nous. On pense habituellement que les hommes ont du mal à se montrer réceptifs parce qu'ils sont accoutumés à assumer le rôle de décideur. L'acte de recevoir est souvent considéré comme quelque chose d'inférieur, de faible. Le problème des femmes est donc tout aussi sérieux, quoique en évolution depuis quelques décennies car un grand nombre d'entre elles travaillent en dehors de la maison. Reste malgré tout que beaucoup sont encore habituées à recevoir de l'homme à la fois argent et approbation et éprouvent de la difficulté à prendre des décisions.

La position amoureuse certainement la plus répandue en Occident est celle où l'homme se place au-dessus de la femme. On l'adopte fréquemment au début du rapport sexuel pour y revenir ensuite afin que l'homme ait son orgasme – même si entre-temps les deux partenaires ont plusieurs fois changé de postures. C'est en effet dans cette position (rôle actif) que l'homme peut donner le plus d'intensité à ses poussées pelviennes. Comme il parvient plus rapidement que sa compagne à l'état d'excitation, il peut profiter de sa situation pour la stimuler tout en recevant son énergie. Notons que cette position convient tout particulièrement aux couples qui ont besoin de réaffirmer les rôles traditionnels.

Le grand avantage de cette station amoureuse est qu'elle permet à l'homme et à la femme d'aligner tous leurs chakras. Il s'établit entre eux une connexion plus étroite et plus complète opérant comme un stimulant sur leurs énergies intérieures. Dans cette position face à face, les principaux organes sensoriels – la bouche, les yeux, les seins et les parties génitales – de l'un et l'autre des partenaires sont en contact, ce qui est très excitant et agréable à la fois visuellement et physiquement. Autre intérêt de cette position : elle donne une grande liberté de mouvements pour les mains et les jambes et offre ainsi quantité de variations possibles. Pour beaucoup de femmes, le poids de l'homme exerce une pression stimulante.

L'une des variations de cette posture est celle où la femme, juste après la pénétration, noue les jambes dans le dos de son partenaire. L'homme est alors totalement actif et elle totalement réceptive. De par sa situation, la femme est capable de contenir son énergie sexuelle pour la diriger vers le cosmos de manière spécifique. Avant l'acte sexuel, les deux partenaires pourront par exemple choisir une visualisation – ou une affirmation – qu'ils décideront de «lancer» pendant qu'ils font l'amour. Grâce à cette visualisation créative, ils créent une image particulière qu'ils enverront ensuite dans le cosmos en leur propre nom.

Lorsque l'homme et la femme échangent leurs rôles, c'est maintenant la femme qui se trouve au-dessus de l'homme. À elle de donner, à lui de recevoir. Cette posture a pour effet de stimuler et de développer l'Animus de la femme et l'Anima de l'homme. En position dominante, la femme est en mesure de contrôler le rythme et la profondeur de la pénétration. Plus rapidement excitée, elle peut donner à son partenaire. Cet échange de rôles, même si l'un ou l'autre des partenaires le trouve inconfortable de prime abord, aidera le couple à se libérer et se mieux connaître.

Autre variation : l'homme est assis entre les jambes de la femme qui repose sur le dos. Il est actif. Cette position permet une meilleure stimulation génitale de la femme et une pénétration plus profonde. Elle procurera aux deux un puissant orgasme.

Lorsque la femme est assise sur l'homme tandis qu'il est couché sur le dos, les rôles sont inversés. Bien que la stimulation génitale soit plus grande pour l'homme dans cette position, c'est sa partenaire qui a la plus grande liberté de mouvement et d'initiative. Elle peut soit lui faire face, soit regarder vers ses pieds. Cette position, parce qu'elle illustre l'échange des pouvoirs et des rôles actif/réceptif, permet de se soumettre à l'autorité du sexe opposé et de s'ouvrir à l'influence de notre partenaire intérieur, l'Animus ou l'Anima.

216

Autre posture : l'homme et la femme sont allongés sur le côté. Une dynamique différente est alors créée. Au lieu que l'un ait le rôle actif et l'autre le rôle réceptif, ils se partagent équitablement les pouvoirs. Quand la femme est allongée sur le côté gauche et l'homme sur le côté droit, c'est sa dynamique masculine à elle qui est stimulée tandis que son compagnon est en mesure d'exprimer son côté féminin réceptif. Quand la femme repose sur le flanc droit et l'homme sur le flanc gauche, l'un et l'autre en reviennent à leurs rôles traditionnels.

Le tantrisme souligne l'importance des changements de positions durant le rapport sexuel, insistant particulièrement sur la création de certaines figures, ou compositions physiques, appelées *yantras*. L'homme et la femme réalisent ces yantras tout en pratiquant ensemble une suite d'exercices respiratoires.

Les yantras sont souvent inspirés des positions d'accouplement de certaines espèces animales. Cette méthode est notamment très courante chez les Indiens d'Amérique du Nord et du Sud. L'usage conscient de ces positions, pensaient-ils, investissait le couple du pouvoir et des qualités spécifiques à l'espèce animale en question, établissant ainsi une puissante résonance entre la nature et l'homme.

En ce qui concerne l'accouplement des animaux, dans la plupart des cas, le mâle monte la femelle par-derrière. Celle-ci peut être couchée, agenouillée ou en position debout. Ceci s'explique en partie dans le fait que, contrairement aux humains, les chakras supérieurs des animaux ne sont pas développés et n'ont donc aucune raison d'être connectés.

Adopter une posture sexuelle animale n'est nullement dégradant. Le lien magique que l'on établit avec les pouvoirs de l'animal que l'on a choisi d'imiter doit être considéré avec révérence. On s'appliquera bien sûr à élire tel ou tel animal en fonction de certaines de ses qualités que nous désirons stimuler en nous.

La posture où l'homme pénètre sa partenaire par-derrière stimule notre nature instinctuelle et animale. Elle instaure également une puissante dynamique permettant à l'homme comme à la femme de se mettre en contact avec leur inconscient, ou leur ombre. Dans cette position, l'homme est le donneur d'énergie, la femme est réceptrice. L'un et l'autre ne pouvant se voir, leur inconscient donne libre cours à sa créativité (production d'images et de pensées).

Autre position animale intéressante : celle connue en Inde sous le nom de «papillon». Les deux partenaires sont allongés sur le dos, coccyx et organes génitaux joints, les jambes levées. Leurs chakras inférieurs (chakra-racine et chakra sacral) sont réunis, exaltant ainsi leur nature instinctuelle. Cette position évoque la métamorphose de la chenille en papillon. Elle symbolise le pouvoir de transformation, le passage d'un état à un autre. La chenille incarne également la transition du terrestre à l'aérien et symbolise en outre la transformation de l'ombre en lumière, la conscientisation de l'inconscient.

Dans l'Inde antique, yoga signifiait union, union avec son dieu intérieur, avec l'Absolu. L'une des postures de yoga les plus connues est celle du lotus. C'est dans cette position que l'imagerie religieuse nous montre bien souvent les yogis. Mais cette posture peut aussi être utilisée dans les rapports sexuels : l'homme assis les jambes largement ouvertes et croisées l'une par-dessus l'autre, la femme venant ensuite s'asseoir sur ses genoux, face à lui, les jambes passées autour de sa taille.

L'intérêt de cette position, comme de toutes celles où les amants sont face à face, est de mettre en contact tous les chakras des deux partenaires, ce qui a pour résultat d'intensifier l'échange d'énergies et d'équilibrer le rapport actif/réceptif. En outre, le lotus étant l'une des postures traditionnelles de méditation, le couple est naturellement porté à la réflexion spirituelle pendant qu'il fait l'amour. En plus de l'union sexuelle intensément agréable, ils peuvent approfondir leurs affinités spirituelles.

Pour ceux qui trouveront toutefois cette position inconfortable ou difficile à maintenir, je suggère l'utilisation d'une chaise. L'homme est assis jambes écartées, la femme vient le chevaucher. La même dynamique énergétique est mise en place que dans la posture du lotus.

Quand la femme fait face à son partenaire, l'équilibre des rôles est plus fermement établi que dans toute autre position. Ils communient dans la création tandis que l'échange énergétique entre eux ne fait que croître. Lorsque la femme tourne le dos à l'homme, une autre dynamique est instaurée : l'homme est actif et sa compagne réceptive. Au fur et à mesure que la femme prend en elle l'énergie masculine, elle augmente son pouvoir de réceptivité et sa capacité à restituer à l'univers ce flot d'énergie qui la traverse. Comme je l'ai déjà mentionné, cette position peut également stimuler l'inconscient des deux partenaires.

Dans son livre, «Secrets taoïstes de l'amour : cultiver l'énergie sexuelle mâle», Mantak Chia explique que le choix des positions amoureuses est essentiellement dicté par les deux lois cachées concernant le flux énergétique :

1. Se relaxer et se mettre en harmonie. Réunion des semblables : ventre contre ventre, main dans la main, bouche contre bouche, etc.
2. Stimulation et excitation. Réunion des dissemblables : la bouche sur le sexe, le sexe contre l'anus, etc.

L'art de l'amour consiste à entrelacer les positions de stimulation et les positions d'harmonisation dans une sorte de danse sublime.

Le hatha yoga utilise les postures et les exercices respiratoires pour éveiller les chakras, parvenir à la relaxation et à l'élévation spirituelle. Les scientifiques occidentaux sont souvent confondus par les pouvoirs des yogis qui arrivent à maîtriser certaines fonctions physiques autonomes : rythme cardiaque, sécrétions glandulaires, température du corps. Le yoga du sexe est investi d'encore plus de puissance parce qu'il fait entrer en jeu deux champs d'énergie complémentaires : l'homme et la femme, le ciel et la terre. L'Occident se doit de prendre conscience du véritable pouvoir de la sexualité et comment elle peut influencer positivement nos vies.

L'orgasme

Comme je l'ai déjà mentionné dans le chapitre précédent, l'acte sexuel nous donne la possibilité d'atteindre l'orgasme total qui dépasse la simple satisfaction physique et s'étend aux sphères émotionnelle, mentale et spirituelle.

Chez les femmes, le muscle pubococcygien (PC) joue un grand rôle dans le plaisir sexuel et l'orgasme. Physiologiquement parlant, c'est ce muscle qui nous permet – hommes et femmes – d'interrompre l'émission d'urine. L'insuffisance de tonicité du PC occasionne chez la femme une réduction de la sensibilité sexuelle vaginale, des complications lors de l'accouchement et une possible énurésie. Connu des sexologues sous le nom de «muscle d'amour», le PC est la clé de l'harmonie sexuelle. La stimulation de ce muscle au cours de l'acte sexuel est source d'intense excitation, à la fois pour la femme et pour l'homme qui la pénètre.

Dans la sexologie orientale, le PC, bien que considéré comme important –, n'est qu'un élément parmi tout un réseau de muscles que Mantak Chia et Maneewan Chia désignent sous le terme générique de muscle Chi. Le muscle Chi comprend le PC mais également les muscles des diaphragmes pelviens et urogénitaux, celui du sphincter anal, d'autres encore situés dans la région périnéale. Le fait de développer et fortifier ces muscles permet à la femme de mieux canaliser son énergie sexuelle, d'avoir avec son partenaire un échange énergétique plus complet et, enfin, de parvenir à un orgasme plus puissant. Si son muscle Chi est bien développé, elle peut en outre masser le pénis de son partenaire pendant qu'il est en elle, ou l'enserrer à la base afin de retarder l'éjaculation.

La manière la plus simple de localiser le muscle PC et de se familiariser avec lui consiste à interrompre brusquement son jet d'urine lorsqu'on est aux toilettes, la contraction du PC stoppant aussitôt l'émission. Cet exercice ne doit être pratiqué que dans le but de localiser ce muscle car il pourrait se révéler dangereux à la longue. On peut également s'entraîner à le contracter et le relâcher tout en méditant sur l'expansion sexuelle, ou tout simplement en faire l'expérience pendant l'acte sexuel. Nombre de techniques tantriques sont d'ailleurs basées sur le contrôle du muscle PC.

Co-création de l'orgasme étendu

L'un des concepts majeurs du tantra est celui de l'orgasme étendu pour les deux partenaires, obtenu par la maîtrise consciente de l'éjaculation de l'homme et le développement et le partage de la faculté multi-orgasmique de la femme. L'idée sous-jacente à la rétention de semence est souvent controversée et mal interprétée. En apprenant à retarder son éjaculation, l'homme peut en effet aider sa partenaire à réaliser l'orgasme multiple et, stimulé par l'énergie qu'il reçoit en retour, partager cet orgasme avec elle. Cette forme de contrôle de soi aboutissant à la jouissance simultanée donne à l'acte sexuel une dimension transcendantale. Les deux partenaires n'en auront que plus de plaisir.

Le but de la rétention de sperme est, pour l'homme, de décider du moment où il va éjaculer, ceci afin de conserver son énergie physique et d'atteindre un niveau de plaisir plus intense – un orgasme complet – en harmonie avec sa compagne. Contrairement à ce que prétendent certains, le contrôle de l'éjaculation n'est nullement une résistance à la jouissance, un refus du plaisir. Il ne s'agit pas uniquement de retenir le fluide séminal, mais d'apprendre à maîtriser et canaliser son énergie de manière qu'elle rayonne à travers tout le corps et stimule les chakras.

Tandis que les femmes deviennent de plus en plus conscientes de leurs possibilités multi-orgasmiques, il semble que les hommes se sentent menacés. Comme s'ils craignaient de voir remis en question leur rôle traditionnel en tant que partenaire sexuel. Les femmes montrent aujourd'hui plus d'empressement pour le sexe que par le passé. La satisfaction sexuelle qu'on leur refusait jadis s'impose maintenant comme l'une des composantes essentielles de leurs relations avec l'autre sexe. Cette notion relativement récente pose un problème pour nombre d'hommes qui se mettent à douter de leur aptitude à satisfaire les désirs de leur partenaire. C'est un fait que beaucoup d'hommes perdent leur intérêt pour les choses du sexe autour de la quarantaine ou de la cinquantaine ou bien ont des difficultés à maintenir une érection.

Une seule éjaculation contient entre deux cents et cinq cents millions de cellules reproductrices, chacune étant un être humain potentiel. Les textes de sexologie taoïstes et bouddhistes mentionnent d'ailleurs fréquemment cette formidable puissance concentrée dans la semence de l'homme. Ils nous apprennent aussi qu'une grande quantité d'énergie est nécessaire pour la renouveler après éjaculation, spécialement chez l'homme vieillissant. Selon ces mêmes textes, le sexe avec éjaculation incontrôlée (où l'orgasme est avant tout une preuve de virilité, une source de fierté) entraîne à la longue un état d'épuisement physique chez l'homme qui, en même temps qu'il perd goût à la sexualité, se met à redouter l'autre sexe par crainte de n'être pas « à la hauteur ».

Comme les hommes, les femmes ont été culturellement programmées pour croire que tout rapport sexuel, pour qu'il soit réussi, devait se solder par l'éjaculation de l'homme. Elles doivent pour cela être capables d'exciter leur partenaire (on dira alors qu'elles sont désirables) afin de lui procurer une forte éjaculation.

Trois points principaux sont à retenir concernant la question de rétention de semence.

Premier point : Comprenons bien tout d'abord que l'orgasme et l'éjaculation masculins ne sont pas synonymes. L'homme peut apprendre à connaître l'orgasme sans qu'il y ait éjaculation. En atteignant des degrés d'excitation mutuels avec sa partenaire, en partageant l'orgasme de la femme, l'homme s'enrichit et gagne en puissance sexuelle. S'il s'abstient d'avoir un orgasme lui-même, il n'en éprouvera que plus de désir et plus de créativité dans les jours qui suivent. Bien que ce type d'orgasme demande une certaine pratique et une grande compréhension de la « sagesse » du sexe, les taoïstes le considèrent comme plus satisfaisant pour les deux partenaires.

Deuxième point : Il s'agit de comprendre et de respecter le pouvoir énergétique de la semence que l'on fait monter des parties génitales jusque dans tout le corps afin de produire une énergie positive (spirituelle et curative).

Troisième point : Le nombre d'éjaculations devrait décroître tandis que l'homme prend de l'âge. Les taoïstes prétendent que l'homme mûr a besoin de préserver son énergie pour subvenir aux demandes physiques de son système. L'énergie sexuelle lui est également nécessaire pour l'aider à élargir le champ de sa conscience spirituelle. La croyance victorienne selon laquelle l'homme se rapproche un peu plus de la mort à chaque éjaculation est une interprétation négative et incomplète de la doctrine taoïste.

L'homme ne renoncerait certainement pas à son éjaculation s'il pensait que l'acte sexuel y perdrait en plaisir. En fait, en faisant un choix conscient par rapport à son orgasme, il tire encore plus de satisfaction du sexe. Une fois qu'il cesse de s'inquiéter sur la question d'avoir à éjaculer, il se sent fortifié par l'acte sexuel. Par la pratique de certains exercices mentionnés un peu plus loin dans ce chapitre, il sera capable de créer consciemment un orgasme et/ou une éjaculation lorsqu'il le désire, c'est-à-dire au moment le plus approprié pour l'échange mutuel et le plaisir à deux.

Cette notion d'éjaculation retenue permet également de déculpabiliser la femme qui se sent généralement responsable lorsque son compagnon ne parvient pas à la jouissance, que ce soit pour des raisons de stress ou de fatigue physique. Libérés de la contrainte de l'éjaculation à tout prix, les deux partenaires peuvent faire l'expérience d'une nouvelle liberté. La femme n'en sera pas moins désirable et l'homme pas moins viril. Concentrés sur l'acte sexuel lui-même sans souci de but spécifique à atteindre, ils seront en mesure de choisir le niveau d'orgasme qu'ils désirent. Cette liberté est la marque d'une relation adulte et épanouie.

Dans son livre, «Le Tao de l'amour et du sexe», Jolan Chang est très précis au sujet de la fréquence et du contrôle de l'éjaculation : «Plus l'on fait l'amour et plus l'on bénéficie de l'harmonie du yin et du yang ; moins on éjacule et moins on perd le bénéfice de cette harmonie.»

J'ai déjà évoqué le fait que l'homme vieillissant devrait éjaculer de moins en moins – mais faire fréquemment l'amour – afin de rester en bonne santé. Le concept tantrique de santé est basé sur l'équilibre des énergies yin et yang dans le corps. Avec l'acte sexuel sans éjaculation, les taoïstes pensent que l'homme reçoit l'énergie yin de la femme et préserve une grande partie de son énergie yang, ce qui crée un niveau d'équilibre et de santé supérieur. Quoi qu'il en soit, chaque cas est un cas particulier. Le meilleur test pour un homme consiste à se demander comment il se sent après avoir éjaculé. L'éjaculation ne doit jamais être forcée, ni représenter une pression nerveuse, mais être naturelle et facile. Elle ne doit pas laisser l'homme épuisé et incapable de tendresse à l'égard de sa partenaire, mais fortifié et détendu.

Il est important de bien comprendre que la rétention

de semence n'est pas simplement un exercice de maîtrise de soi. Elle est une façon d'exalter le plaisir
sexuel à la fois pour la femme et pour l'homme. Il
s'agit bien sûr avant tout d'étendre la perception que
l'on a du plaisir. Par exemple, lorsque l'homme
décide de ne pas éjaculer, il doit apprendre à éprouver
l'orgasme de sa partenaire comme le sien propre, à
ressentir les émotions et les sensations féminines afin
de faire de cet orgasme un moment intense de partage
et de communion. Par ce processus de découverte de
l'autre, l'homme devient davantage sensible à ce que
représente le plaisir à deux opposé au plaisir individuel. La faculté multi-orgasmique de la femme peut
ainsi être un pouvoir partagé, l'homme expérimentant
une grande satisfaction à participer à son orgasme, et
elle à lui donner son énergie yin.

Les anciennes techniques de contrôle de l'éjaculation ne conviennent pas nécessairement à tous les
couples. L'art de la rétention de semence n'a de signification que dans une relation fondée sur l'amour,
l'engagement réciproque et le désir sincère d'étendre
le champ de l'expérience sexuelle. La non-éjaculation
ne doit en aucun cas être considérée comme une obli-
gation ou un devoir. Notons également que la rétention n'est pas toujours souhaitable ou appropriée.
L'éjaculation fait partie du bonheur de la fusion
sexuelle. En fonction de son emploi du temps, de son
degré de fatigue ou de préoccupation, on peut décider
soit de conserver son énergie soit de la relâcher.
Lorsque le niveau énergétique est particulièrement
élevé – en période de vacances par exemple – l'éjaculation sera particulièrement salutaire pour les deux
partenaires.

Jolan Chang nous livre deux méthodes pour parvenir au contrôle de son éjaculation. La première est
appelée méthode de verrouillage. Lorsque l'homme
sent qu'il atteint le faîte de l'excitation, il recule son
pénis de quelques centimètres dans le vagin de sa
compagne et cesse son mouvement pelvien l'espace
de dix ou vingt secondes. Il respire profondément

plusieurs fois de suite jusqu'à regagner la maîtrise de soi.

Seconde méthode dite de «serrage». Avec l'index de sa main gauche et les doigts du milieu, l'homme exerce une pression de trois ou quatre secondes sur le point situé entre son scrotum et son anus. Ce faisant, il respire profondément. Cette méthode peut être utilisée dans n'importe quelle posture amoureuse et ne nécessite pas le retrait du pénis du vagin de la femme.

Pour ceux qui commencent à s'initier aux techniques de rétention, Jolan Chang donne les conseils suivants : Si vous avez moins de quarante ans, accordez-vous une éjaculation pour deux rapports. Si vous êtes plus âgé, une éjaculation pour trois rapports. Ce rythme vous aidera à mieux pratiquer l'autocontrôle et à sentir avec plus d'acuité les énergies sexuelles en jeu. L'acte sexuel lui-même en sera magnifié.

Il est mentionné dans «La Joie du sexe» que, occasionnellement, la semence non éjaculée se déverse dans la vessie. Ceci peut effectivement arriver lorsque l'homme est sur le point d'atteindre l'orgasme et refoule son éjaculation au dernier moment. S'il pratique la rétention uniquement sur un plan physique ou sexuel — son énergie n'étant pas élevée à un degré supérieur de conscience — ce genre d'incident risque en effet de se produire. Il serait préférable dans ce cas de suivre la progression naturelle de l'orgasme jusqu'à l'éjaculation.

Toutefois, quand les deux partenaires sont véritablement impliqués dans leur relation et que leur conscience sexuelle est suffisamment développée, l'énergie de la semence ne se déversera pas dans la vessie mais contribuera directement à leur expansion sexuelle et spirituelle. Si leurs chakras sont ouverts de telle sorte qu'il y a entre eux un échange énergétique à tous les niveaux, les qualités d'harmonie et les vertus vulnéraires du liquide séminal passeront par les différents centres d'énergie et seront partagées par le couple.

Je l'ai déjà dit et le répète, la pratique de la rétention doit être volontaire et ne convient pas nécessairement à tous. Certaines personnes ne sont tout simplement pas attirées par cette notion ou ne se sentent pas prêtes à l'intégrer à leur sexualité. Elle est déconseillée à ceux atteints de troubles sexuels ou psychologiques.

À l'image de toute autre pratique spirituelle, les méthodes d'éjaculation consciente doivent être approchées avec sérieux et réflexion. Elles requièrent de la part des deux partenaires qui désirent élargir leur champ de conscience une grande dose de patience et de compréhension mutuelle. Si j'insiste tant sur ce point, c'est pour souligner le fait que ces techniques sont à aborder de façon responsable et dans le contexte d'une relation où l'homme et la femme sont également investis.

Les fantasmes

Le rôle du fantasme peut s'avérer très important lors de l'acte sexuel. C'est lui qui nous met en contact avec certains désirs profonds qui n'ont pas encore été exprimés, et nous incite à les réaliser avec l'être aimé. Il a également le pouvoir d'intensifier les sensations de plaisir et d'excitation pendant que nous faisons l'amour. Comme la visualisation créative, l'imagerie mentale nous procure une nouvelle perspective de la réalité qui peut avoir un effet très positif sur notre vie.

Les fantasmes sexuels nous permettent d'innover, de renouveler notre sexualité – changement de rôles avec notre partenaire par exemple – et de nous sentir plus libre d'être nous-même.

Le psychiatre Martin Shepherd, auteur de « Jeux d'analystes » a écrit : « Les fantasmes, comme les rêves, prennent naissance dans la zone crépusculaire des expériences passées, des espérances futures, du conditionnement social, des affaires laissées en suspens et d'une évolution biologique et biochimique propres à l'individu. »

Utiliser ses fantasmes pour communiquer avec son inconscient nous aide à prendre conscience de ces expériences, de ces espérances, de ce conditionnement. En d'autres termes, à mieux comprendre notre nature intérieure. À l'instar des rêves, les fantasmes sexuels sont une mine d'informations sur notre manière de percevoir le monde et nos rapports avec les autres.

Dans certains cas, on souhaitera partager ses fantasmes avec l'être aimé en les exprimant verbalement. Si la relation amoureuse est fondée sur le respect et la confiance mutuels, cela ne peut qu'encourager le dialogue et renforcer l'intimité au sein du couple.

Les fantasmes contiennent souvent une bonne quantité d'éléments refoulés qui ont besoin d'être conscientisés. Peut-être mettent-ils l'accent sur certains défauts – rôles sexuels faussés, attitudes négatives – dont nous devrions faire l'effort de nous libérer. Il arrive également qu'ils fassent ressurgir des problèmes enfouis auxquels nous avons toujours refusé de faire face – culpabilité sexuelle, rejet parental. À un niveau plus profond, les fantasmes attirent parfois notre attention sur le besoin de se mettre en contact avec le partenaire intérieur afin d'obtenir sa protection et son assistance. Prenons l'exemple d'une femme qui a un fantasme de domination. Cela ne signifie pas nécessairement qu'elle en appelle au sadisme ou au masochisme. Un tel fantasme peut tout simplement révéler un déséquilibre dans sa personnalité et sa vie, déséquilibre s'exprimant par la colère et la violence. Cependant, si l'on va au-delà des apparences, ce fantasme de domination mettra en lumière la face cachée de ce qu'elle souhaite vraiment : davantage d'amour-propre, de réussite et de dynamisme (principe masculin) dans sa vie. Ou peut-être a-t-elle besoin d'un contact plus intime et plus aimant avec son partenaire intérieur, l'Animus.

D'un point de vue spirituel, les fantasmes les plus courants proviennent des trois chakras inférieurs – le chakra-racine, le chakra sacral et le chakra du plexus solaire. Les enjeux de domination sont caractéristiques du chakra-racine qui est le siège de la volonté de vivre. Nous devons comprendre et accepter ces énergies primaires, sexuelles et émotionnelles, à la fois individuellement et en tant que culture.

Nous devons également apprendre à utiliser les trois chakras inférieurs en conjonction avec les chakras supérieurs. Distinguons tout d'abord à quel chakra correspond tel ou tel fantasme. Exemple : les fantasmes liés au chakra-racine impliquent presque toujours un contrôle de notre environnement personnel. Ce chakra se rapportant à la survie, les fantasmes sont généralement très intenses. On se visualise en train d'exercer un pouvoir de vie et de mort sur son partenaire : images de viol, de conquête physique, de violence.

Les fantasmes liés au chakra sacral nous confèrent une énergie sexuelle illimitée et quantité d'expériences charnelles sans autre objectif que la recherche du plaisir. On se voit faisant l'amour avec plusieurs partenaires, participant à des orgies ou à des actes exhibitionnistes. La zoophilie fera éventuellement partie de ces fantasmes associés à une poursuite effrénée de la volupté sexuelle sous toutes ses formes.

Les fantasmes liés au chakra du plexus solaire sont marqués par une intense stimulation des sentiments de jalousie, de cupidité et de possession. Une image revient souvent, celle du partenaire soumis et obéissant qui fait ce que l'on veut quand on le veut. Contrairement à ceux du chakra sacral, les fantasmes du plexus solaire sont dirigés sur une personne particulière.

Les fantasmes liés au chakra du cœur sont de caractère romantique. Ils sont orientés vers la recherche du partenaire idéal, vers l'union, l'abandon de soi et le partage. Les images : vénération de la sexualité de l'être aimé et soumission à tous ses désirs.

Les fantasmes issus du chakra de la gorge nous font visualiser des aventures mythiques et héroïques, des histoires d'amour à la Roméo et Juliette. Le plaisir sexuel est ici stimulé par des visions de grandes et nobles réalisations et de conquêtes qui nous rendent (nous et notre partenaire) mutuellement désirables.

Les fantasmes liés au chakra des sourcils – ou troisième œil – créent souvent des visions d'initiation spirituelle où notre énergie sexuelle est guidée par l'être aimé qui représente le guide spirituel. Ils impliquent parfois la perception de l'âme sœur – fantasmes qui peuvent être la réminiscence d'événements survenus dans une autre vie.

Les fantasmes du chakra-couronne sont ceux dans lesquels nous fusionnons avec l'énergie sexuelle de l'univers et entrons en communication avec notre âme. On se voit sous les traits d'un danseur cosmique faisant un avec la vie et l'ensemble de la création.

Les fantasmes issus du chakra des sourcils et du chakra-couronne sont relativement rares car ils sont étroitement liés à la connaissance spirituelle. Notre culture ayant tendance à séparer sexualité et spiritualité, la plupart d'entre nous atteignent difficilement un tel niveau dans leurs fantasmes. Toutefois, en développant notre conscience par l'ouverture des chakras supérieurs, nous pouvons progressivement élever nos fantasmes des centres d'énergie inférieurs vers les centres d'énergie supérieurs. Ceci aura pour résultat d'exalter le plaisir sexuel et émotionnel et de nous ouvrir de nouvelles perspectives érotiques.

Les fantasmes peuvent donner lieu à des expériences intensément agréables, mais ne doivent pas devenir un moyen de fuir la réalité. Dans « Le corps, le moi et l'âme », Rosenberg nous explique :

> « Le fantasme peut s'avérer très enrichissant à condition que l'on ne perde pas de vue son partenaire. Si l'on se trouve prisonnier de son propre fantasme sans y inclure l'être aimé, peut-être maintiendra-t-on malgré tout la relation, mais ce sera au prix de la réalité. D'autre part, si l'on se montre trop rigide avec le fait de fantasmer et que l'on développe un sentiment de culpabilité, on se prive alors

d'une excitation supplémentaire dans notre vie sexuelle. Un peu de fantasme puis un peu de réalité – à condition de ne pas les prendre l'un pour l'autre – est une façon créative d'accroître le plaisir sexuel. »

Après l'amour

Peu de gens se rendent compte qu'après l'orgasme il est important de rester en contact étroit avec son partenaire. Idéalement, l'homme ne devrait pas retirer son pénis du vagin de la femme immédiatement après l'orgasme, qu'il ait ou non éjaculé. Si les amants restent physiquement unis, le pénis se ramollira progressivement pendant que la femme savoure la détente postorgasmique. Le pénis sortira naturellement.

C'est un moment crucial où le couple peut absorber et échanger les énergies subtiles et sécrétions vitales, chacun ayant besoin de recevoir suffisamment d'énergie complémentaire et de fluides de la part de l'autre pour créer une harmonie et un équilibre durables. Si nous ouvrons nos chakras pendant l'acte sexuel, notre énergie s'exprime pleinement et dynamiquement. Le champ d'énergie humain est «chargé» d'une force considérable, à la fois pendant et après l'acte sexuel. Une force qui risque de se dissiper et se perdre si les deux partenaires ne restent pas en contact.

Les taoïstes prétendent que chaque éjaculation peut diminuer la force vitale de l'homme, à moins que celui-ci ne reçoive en retour (sur les plans physique et subtil) une quantité analogue d'énergie yin de la part de sa compagne. L'absorption d'énergie féminine est supposée aiguiser sa sensibilité, sa créativité et son intuition. Il est tout aussi important pour la femme d'absorber l'énergie et les sécrétions yang de son compagnon qui, estime-t-on, affermissent le sentiment de son identité, consolident son pouvoir et sa clarté mentale.

Cet échange des essences masculines et féminines

peut s'accompagner de caresses, de mots tendres, d'aspirations et de visions en commun. Il revitalise le couple, nourrit et cimente la relation. Si les deux partenaires sont assez évolués sur le plan spirituel, une communion mystique silencieuse pourra se produire.

Pendant ce moment d'intimité et de complicité, on est particulièrement ouvert à l'autre, en état de grande réceptivité. C'est l'instant privilégié pour commenter l'expérience sexuelle, pour assimiler et méditer ensemble ce que nous venons de vivre, pour se faire des confidences et se témoigner mutuellement sa tendresse – exemple : la pratique du massage.

L'union sexuelle ne se termine pas avec l'orgasme. Pour cette raison, il n'est pas bon de rompre brutalement le contact physique. Il arrive que l'un des deux partenaires saute du lit sitôt l'acte sexuel achevé – ou se replie sur lui-même – et brise soudainement l'intimité qui s'était établie. Alors, l'union sexuelle n'a pas vraiment été menée à son terme, l'échange d'énergies et d'essences n'est pas pleinement absorbé ou assimilé. Cette rupture entraîne bien souvent une sensation d'épuisement physique et de déception émotionnelle. Le couple ressent une brusque séparation à la fois physique, émotionnelle et spirituelle.

Le sommeil et les rêves

D'un point de vue métaphysique, le sommeil n'est pas seulement le moyen de reposer et de recharger le corps. Les psychologues ont démontré à quel point l'activité onirique était essentielle pour l'équilibre émotionnel, mental et spirituel. De leur côté, les maîtres spirituels évoquent traditionnellement l'état de sommeil comme étant le moment où l'on entre en contact avec son âme. Peut-être d'ailleurs est-ce pour cette raison qu'après une bonne nuit de sommeil on se réveille reposé, inspiré et impatient de commencer une nouvelle journée.

Plus nous sommes équilibré et relaxé avant d'aller

dormir et plus il nous sera facile d'être en harmonie avec notre âme. L'acte sexuel nous procure un sentiment de paix et de contentement qui favorise la venue du sommeil. Cette mise en condition par l'exaltation des sens puis l'apaisement de tout le corps nous permet de profiter plus pleinement de l'influence positive de notre âme, de nous laisser guider et inspirer par elle. De cette façon, nous pénétrons également dans le monde des rêves avec plus de conscience, capables donc de participer davantage à notre vie onirique.

Dans notre relation amoureuse, nous faisons l'expérience des projections de l'inconscient de notre partenaire, comme il fait l'expérience des nôtres. Dans le rêve, les amants peuvent travailler ensemble d'inconscient à inconscient et établir un dialogue inconscient. Ce type de communication permet de résoudre certaines inhibitions et limitations, les deux partenaires traitant ensemble les racines cachées de leurs blocages.

Selon la doctrine métaphysique, c'est pendant l'état onirique que l'on peut accéder à un plan de conscience supérieur et recevoir les instructions du dieu intérieur et de l'âme. Lorsque nous partageons les rêves avec l'être aimé, nous pouvons parfois partager sa connaissance intérieure et son expérience.

Une intense communion sexuelle entre l'homme et la femme leur procure un sentiment de paix et d'harmonie intérieures, un espace commun où ils pourront ensuite partager leurs rêves. Ceci est très possible, surtout si les partenaires synchronisent leurs respirations avant de s'endormir et affirment leur intention de créer des rêves ensemble. Une telle expérience développe sur le plan spirituel une communication profonde et durable.

13

Méditations pour approfondir les sentiments amoureux et stimuler l'expression sexuelle

Les psychologues, et tous ceux qui se sont lancés dans l'exploration et l'étude de l'esprit humain, ont compris que le pouvoir de l'inconscient est immense. Parce qu'il fonctionne principalement à partir de notre mémoire émotionnelle et des schémas psychologiques dont nous n'avons souvent pas conscience, nous ne percevons pas clairement ses mécanismes. Lorsque nous voulons qu'une chose se produise ou que nous croyons consciemment en un espoir ou une idée, on s'aperçoit souvent que l'expérience vécue est très différente, voire même opposée, de ce que l'on avait consciemment désiré. Par voie de conséquence, on se sent déçu ou trahi, ou encore persécuté. Cet antagonisme est dû au fait que nos peurs inconscientes peuvent avoir un impact redoutable sur la réalité extérieure, et cela quel que puisse être notre désir conscient. Pour cette raison, il est important d'essayer de conscientiser l'inconscient autant que faire se peut. L'une des voies pour y parvenir est celle de la méditation et de la visualisation créative.

La méditation est un cadeau que l'on se fait à soi-même pour entrer en contact avec notre être intérieur, avec nos aspirations et nos vœux les plus profonds ;

pour nous raccorder à notre source intérieure de sagesse et de compassion. Elle nous aide à percevoir de nouveaux aspects de nous-même. On creuse à la recherche d'un trésor enfoui : nos propres ressources intérieures.

La méditation n'est pas aussi difficile ou compliquée que certains peuvent le croire. Le mot lui-même signifie « penser », « réfléchir », « spéculer ». Or, nous faisons cela naturellement. C'est un exercice que nous connaissons bien. Lorsqu'on parvient à l'état de relaxation quasi parfaite, alors la méditation peut commencer. Descendant de plus en plus profondément dans notre être inconscient, nous pouvons ensuite entamer le processus de visualisation créative – production d'images vivantes qui vont se graver dans l'esprit inconscient. La visualisation créative nous aidera à créer notre réalité extérieure. Certaines personnes sentiront une image davantage qu'ils ne la verront. L'une et l'autre perceptions sont d'égale valeur. Avec un peu d'entraînement, chacun devrait être capable de les développer toutes deux, la combinaison du « sentir » et du « voir » produisant des résultats très positifs.

On pense souvent que la méditation ne peut se pratiquer qu'en certains lieux spécifiques, à certains moments bien précis. Cette conception est erronée. On peut méditer à peu près n'importe où – à la maison, dans le train ou à son travail – dès que l'on dispose d'un peu de temps.

Les méditations et visualisations exposées dans ce chapitre ont pour premier objectif de nous libérer du stress, d'obtenir la tranquillité intérieure et de nous aider à nous centrer. Elles sont simples et efficaces. Je suggère de commencer toute séance de méditation par quelques minutes de respiration profonde.

1. Asseyez-vous confortablement sur une chaise, ou bien les jambes croisées par terre ou sur un lit. Contractez tout d'abord les muscles du

visage. Maintenez cette tension plusieurs secondes puis relâchez et décontractez-vous totalement.

2. Maintenant, inclinez la nuque, menton sur la poitrine. Tendez les muscles du cou puis relâchez.

3. Répétez cet exercice pour différents endroits du corps en procédant du haut vers le bas – les épaules, les bras, la poitrine, l'estomac, les reins, l'anus, les cuisses, les mollets et les pieds. Un état de relaxation générale se propagera bientôt dans tout le corps. (Si l'on sent une tension particulière dans tel ou tel muscle, on peut le masser doucement jusqu'à parvenir au relâchement souhaité.)

4. Lorsque vous relâchez la tension musculaire, expirez simultanément le contenu de vos poumons en produisant un long « aaah ». Ceci vous aidera à établir le contact avec vos sentiments profonds et à les libérer.

5. Après cet exercice, quelques minutes de respiration profonde sont recommandées.

Avant d'en arriver aux méditations et visualisations adaptées à la sexualité, il est utile de se familiariser avec la visualisation créative en général. L'exercice suivant est tout particulièrement destiné à ceux qui connaissent mal – ou pas du tout – cette technique.

Au cinéma

Le cinéma est un excellent moyen pour permettre à nos fantasmes de s'exprimer, pour nous emmener au-delà de la réalité ordinaire et nous soumettre de nouvelles possibilités.

Imaginez que vous vous trouvez dans une vaste salle de cinéma. Enfoncez-vous bien dans votre siège et laissez-vous aller. L'écran est très grand.

Vous le regardez en essayant de vous rappeler les films que vous avez vus dernièrement et qui ont provoqué en vous d'intenses émotions.

Maintenant, imaginez-vous que vous allez créer votre propre film – le film de votre vie – et que vous allez le projeter sur l'écran. Vous êtes à la fois le scénariste et le metteur en scène. Ce film est le vôtre. Si vous éprouvez de la difficulté à projeter les images sur l'écran, visualisez des photographies de vous-même, de votre famille, de vos amis d'enfance. Continuez jusqu'à ce que vous arriviez à vous voir sur l'écran tel que vous êtes au stade actuel de votre vie. Faites ensuite progresser les images dans le futur. Projetez une visualisation de ce que vous souhaiteriez être (ou voir vous arriver) dans le futur.

Vous devez être capable de sentir votre énergie créative et de traduire en images la vision exacte de ce que vous souhaitez devenir.

Lorsque vous serez satisfait du résultat, décidez vous-même d'interrompre le film. L'écran redevient blanc. Les lumières s'allument. Quittez le cinéma.

Il est conseillé – avant de passer à une technique de méditation plus complexe – de pratiquer fréquemment cet exercice jusqu'à être tout à fait à l'aise avec le procédé de visualisation créative. Vous apprendrez beaucoup sur vous-même à travers les films que vous créez.

Abordons maintenant les techniques de méditation associées à la sexualité.

Libération

Nous portons tous en nous un bagage émotionnel hérité de notre passé – peurs, anxiétés, doutes, etc. – et que nous projetons malgré nous sur nos relations amoureuses. La méditation suivante devrait nous permettre de nous libérer de ces images et de ces sentiments négatifs. À pratiquer dans un endroit très calme, à la lueur d'une bougie.

Vous partez en vacances dans un lieu de villégiature réputé pour ses sources d'eau chaude et ses cures thermales. De splendides montagnes vous entourent. Une forêt de pins borde la résidence où vous vous êtes installé. Vous avez la possibilité de rester là aussi longtemps que vous le désirez. Vous êtes venu vous soigner et vous ressourcer.

Imaginez-vous maintenant marchant à travers la forêt de pins. Une multitude de petits cours d'eau coulent à flanc de montagne et viennent se jeter dans un bassin naturel. L'air est vif et pur. Vous respirez à pleins poumons l'odeur de pins. Vous savez instinctivement que cet endroit va vous régénérer et rétablir votre harmonie intérieure.

Vous regardez à présent les différents cours d'eau qui coulent en bruissant. Ils ont un pouvoir purificateur. Vous vous rendez compte alors que chacun correspond à une peur, un doute, un blocage, y compris les vôtres, et qu'il suffit d'y baigner votre corps pour vous laver de toute la négativité du présent et du passé. Retirez vos vêtements et immergez-vous dans un cours d'eau correspondant à un besoin précis. Laissez-vous caresser par le courant jusqu'à vous sentir totalement purifié.

Dirigez-vous ensuite vers un autre cours d'eau. Vous savez par intuition à quelle peur ou quel blocage il correspond. Nouvelle purification. Une fois débarrassé de vos impuretés, vous êtes prêt pour un bain dans le bassin de l'amour de soi. Vous plongez. L'eau est fraîche et pure. Sa température est idéale. Tout votre corps se détend. Le bassin de l'amour de soi représente la purification absolue. Toutes ces attitudes et préjugés négatifs qui ont miné votre existence jusqu'à ce jour ont été emportés.

À chaque fois que vous pratiquerez cet exercice de méditation, vous vous sentirez atteindre un degré de pureté plus profond.

Éprouver sa sexualité

Le but de cette méditation est de se mettre en contact avec notre sensibilité sexuelle. Une initiative non seulement naturelle et nécessaire, mais vitale pour notre bien-être général – émotionnel, mental et spirituel.

EXERCICE N°1

Visualisez – ou sentez la présence – d'une flamme d'énergie rouge dans votre chakra-racine. Elle brûle au centre de vos organes génitaux qu'elle inonde de chaleur. Il s'agit du feu sexuel qui peut maintenant se déployer vers les chakras supérieurs en une spirale ascendante. La flamme doit s'élever progressivement d'un chakra à l'autre. Une spirale de feu s'étire bientôt dans votre corps. Vous ressentez sa chaleur sensuelle.

EXERCICE N°2

Visualisez – ou sentez la présence – d'un serpent lové à la base de votre colonne vertébrale. Comme les charmeurs de serpents orientaux, vocalisez sur le son « HUM » en le laissant vibrer à l'intérieur de votre corps, ou l'enchaînement « OM-TA-MA-RA-OM » qui a le pouvoir d'équilibrer les énergies physiques. Pendant que vous produisez ces sons, vous voyez le serpent se dérouler lentement puis se dresser vers les chakras supérieurs. Sa tête atteint bientôt le chakra-couronne tandis que sa queue reste ancrée dans le chakra-racine. Vous sentez son extraordinaire pouvoir se propager en vous.

L'image du serpent lové qui se déroule en une spirale ascendante était fréquemment utilisée dans l'Antiquité (surtout en Égypte) comme symbole de l'épanouissement créatif de l'énergie vitale. Par sa capacité de mue, le serpent est symbole de transformation.

Visualisez – ou sentez – l'univers comme un réservoir d'énergie sexuelle primaire d'où est sorti l'ensemble de la création. Vous êtes relié à ce réservoir par un cordon argenté (comme un cordon ombilical) qui entre dans votre corps à hauteur du chakra-racine. Avec l'aide d'une pompe, vous êtes en mesure de puiser autant d'énergie que vous le désirez dans le réservoir, un interrupteur vous permettant de réguler votre approvisionnement. Vous ressentez cette énergie en vous. Elle traverse vos chakras successifs qu'elle emplit de chaleur et de lumière. Cette sensation vous tonifie.

Stimulation des chakras

Cette technique plus avancée conviendra tout particulièrement à ceux qui possèdent déjà quelques notions de méditation et de visualisation.

Asseyez-vous en posture de méditation et inspirez par le nez l'énergie kundalini de l'univers. Sentez la respiration descendre jusqu'au chakra-racine. Concentrez l'énergie à ce point précis puis visualisez un point rouge la symbolisant. C'est cette flamme de pouvoir dynamique primaire qui entrera en activité dans les chakras supérieurs. Relâchez votre respiration. Maintenant, inspirez et concentrez-vous sur le chakra sacral. Visualisez deux points de couleurs (rouge sur la droite et bleu sur la gauche) qui formeront ensuite une seule ligne de lumière pourpre. Cette ligne symbolise l'union de l'actif et du réceptif, le yin et le yang, et leur pouvoir procréatif.

À présent, concentrez votre respiration sur le chakra du plexus solaire. Visualisez trois points en forme de triangle cernant ce chakra. Le sommet est de couleur jaune et les deux autres points sont rouges. Les couleurs se fondent pour donner naissance à la couleur orange. Cette figure symbolise le courage et l'action, la connaissance. Elle donne aux sentiments une force de joie et d'innocence. Pour le chakra du cœur, visualisez un diamant piqué de quatre points bleus représentant la compassion (à l'égard de soi-même et des autres), la réceptivité à l'amour et la sagesse dans le choix de ses partenaires sexuels. Le chakra du cœur symbolise également la sensibilité, l'équilibre entre donner et recevoir.

Concentrez maintenant votre respiration sur le chakra de la gorge. Visualisez un pentagone piqué de deux points jaunes en son centre et de trois points bleus les entourant. Ces points créent un espace de couleur verte symbolisant votre créativité verbale. Les pensées positives et les mots vous permettent de poser les bases de vos expériences futures tournées vers la prospérité, l'expansion et la curiosité.

Progressez ensuite jusqu'au chakra des sourcils, siège de l'intuition. Tandis que vous inspirez, visualisez une étoile à six branches, chaque branche (et son opposée) contenant un point d'une des trois couleurs primaires. Toutes ces couleurs se fondent pour donner naissance à la couleur indigo. L'étoile indigo aide à l'ouverture de l'intuition, stimule la clarté mentale et apporte la sagesse dans les pensées. C'est une vision d'unité. Vous percevez votre vraie position dans l'univers. Vous faites partie intégrante du Tout.

Vous atteignez maintenant le chakra-couronne et visualisez un quartz transparent duquel émanent les sept couleurs de l'arc-en-ciel. Il irradie également une lueur jaune symbolisant la joie et la profonde compréhension de ce que signifie l'union avec l'âme et sa finalité.

Les sept chakras sont à présent stimulés.

Partager la lumière

Cette technique très simple vous permet de communiquer avec votre partenaire sur le plan émotionnel. Elle sera particulièrement efficace après que l'on aura exécuté l'exercice précédent de stimulation des chakras.

Les deux partenaires s'assoient l'un en face de l'autre et répètent les sentences suivantes l'un après l'autre.

Racine : «Je te donne (ou partage avec toi) mon soutien et ma force.»

Sacral : «Je te donne mon désir sexuel et ma passion.»

Plexus solaire : «Je te donne mes besoins et mon pouvoir.»

Cœur : «Je te donne ma vulnérabilité et ma compassion.»

Gorge : «Je te donne ma vérité et mon verbe.»

Sourcil : «Je te donne mes visions et ma sagesse.»

Couronne : «Je te donne mon âme et mon inspiration.»

Méditation pour l'échange d'énergie

Cette méditation est destinée à vous faire sentir votre propre énergie sexuelle et celle de votre partenaire. Elle vous aidera tous deux à devenir davantage conscients de vos rôles de conducteur et conductrice des polarités masculine et féminine dans la création cosmique.

Asseyez-vous confortablement l'un en face de l'autre puis fermez les yeux. Vous respirez profondément et calmement jusqu'à vous sentir parfaitement relaxés et concentrés. Après plusieurs minutes de relaxation, l'homme se visualise lui-même étant l'incarnation du pouvoir masculin du soleil : le dieu-soleil dans son chariot de feu enveloppé de tourbillons d'énergie flamboyante. La femme se visualise en tant qu'incarnation de la lune : la déesse lunaire montée dans une barque en forme de croissant et naviguant sur un lac d'émotion. Elle est entourée de rayons de lune qui semblent émaner de son corps.

Idéalement, les deux partenaires doivent sentir et voir leurs images respectives au même moment. Ils prendront le temps nécessaire pour que la visualisation se forme clairement dans leur esprit et qu'ils sentent son énergie se diffuser à travers leur corps. Une fois cette étape franchie, ils s'appliquent ensemble à faire passer l'essence de cette lumière solaire et lunaire à travers chacun de leurs centres d'énergie, commençant par le chakra-racine et progressant vers le chakra sacral, le chakra du plexus solaire, etc., jusqu'à ce que tous les centres d'énergie de l'homme rayonnent comme des soleils et ceux de la femme comme des lunes.

Lorsque ces énergies illuminent les chakras, les partenaires se prennent par les mains. Puis chacun transmet à l'autre son pouvoir, commençant par le chakra-racine pour remonter vers le chakra-couronne, en prononçant ces paroles : « Je te bénis avec ma lumière. » Le couple regarde ses faisceaux d'énergie s'entrecroiser, aller de l'un à l'autre.

Le centre des chakras de l'homme conserve sa couleur or mais un halo argenté vient les entourer – l'énergie lunaire transmise par sa compagne. Le même phénomène se produit pour la femme dont la périphérie des chakras s'orne d'un halo couleur or – l'énergie solaire transmise par son partenaire.

Ce processus d'échange d'énergies continue jusqu'à ce que tous les chakras soient ainsi en contact.

Trouver la finalité de sa relation amoureuse

EXERCICE N°1

Afin de découvrir la véritable finalité de votre relation et identifier la connexion qui vous lie à votre partenaire, cette technique sexuelle orale est vivement recommandée.

Vous devez tout d'abord visualiser à l'intérieur de votre corps un sage et splendide serpent dont la queue est ancrée dans votre chakra-racine et dont la tête s'élève jusqu'à votre chakra-couronne. Votre partenaire pratique la même visualisation. Le but de cet exercice est de mettre en contact vos chakras spirituels (situés dans la tête) avec les chakras inférieurs (racine et sacral) de votre partenaire. Vous unissez ainsi symboliquement la tête de votre serpent avec la queue du serpent de votre partenaire. Cette figure – les deux serpents entrelacés – établit une puissante circulation d'énergie dont l'intensité va en augmentant.
Pendant le sexe oral, visualisez une pierre précieuse à hauteur de votre troisième œil – un rubis, un saphir ou un diamant jaune. La luminescence de cette pierre vous apportera la vision de votre finalité en tant que couple.

EXERCICE N°2

Chaque partenaire peut faire individuellement un voyage dans le monde des images. Imaginez par exemple que vous vous trouvez à l'entrée d'une vaste forêt. Plusieurs chemins s'ouvrent devant vous, des écriteaux indiquant leur direction : « Finalité de l'âme », « Vies antérieures », « Opportunités actuelles », « Résolution des problèmes », etc. Lorsque cette visualisation est accomplie, choisissez le chemin que vous désirez emprunter puis engagez-vous. Avant chaque virage, vous trouverez des flèches ou des signes qui seront autant d'indices et d'indications pour vous aider à répondre à votre question.

Au bout du chemin apparaît un espace dégagé sur lequel se dresse un temple ou une église. Une volée de marches mène jusqu'à l'entrée de cet endroit saint. Là, un guide vous attend. Il est porteur de la sagesse et de la connaissance correspondant à la route choisie.

Faites ce voyage seul tout d'abord puis invitez votre partenaire à vous accompagner. Visualisez ensemble le parcours jusqu'au temple de la connaissance. Les réponses que vous cherchez – individuellement et en tant que couple – se révéleront bientôt à vous. Votre relation amoureuse en sera magnifiée.

14

Le futur de l'union sexuelle

À cette époque de son histoire, l'humanité traverse des temps difficiles et passionnants à la fois. Nous nous trouvons entraînés dans de furieux tourbillons, sans cesse mis au défi de nous mesurer à toute une panoplie de crises : pollution planétaire, menaces de guerre, chômage et misère, criminalité, toxicomanie et alcoolisme.

Sur le plan des relations humaines, on cherche l'amour et c'est souvent la déception sentimentale qui nous coupe le chemin vers le bonheur. On rêve d'une relation de cœur à cœur mais la sexualité vient brouiller les cartes et l'on se sent vidé, avec cette impression de passer à côté de l'essentiel. Jamais de toute notre histoire le taux de divorce n'aura été aussi élevé. Parallèlement, on note également une recrudescence des maladies sexuellement transmissibles, du simple herpès jusqu'au SIDA. Vingt ans après le début de la révolution sexuelle, de plus en plus d'hommes et de femmes se replient sur eux-mêmes, se ferment à la fois émotionnellement et sexuellement. On se demande aujourd'hui si une véritable relation d'amour est encore possible ou si elle vaut qu'on en passe par tant de peurs et de dangers.

Il y a diverses façons de regarder les crises que nous traversons actuellement. On peut sombrer dans la dépression et se dire que de toute manière rien ne peut être fait pour améliorer les rapports que l'homme entretient avec ses semblables et avec le monde. On peut encore décider que les problèmes n'existent pas et vivre notre vie comme si de rien n'était. Certains choisissent de devenir insensibles afin de préserver leur tranquillité d'esprit, ce qui provoque chez eux une grave paralysie émotionnelle.

Reste une autre manière de faire face à la situation : considérer cette crise comme un signal nous informant d'un malaise et chercher un remède. Bien que la société concentre toute son attention et sa volonté de changement sur la réalité extérieure, les problèmes auxquels nous sommes confrontés sont presque tous liés aux distorsions affectant notre réalité intérieure. Une société composée d'individus qui ne respectent pas la terre déversera ses ordures dans le fleuve le plus proche. Une nation composée d'individus qui ont foi en la doctrine du «moi d'abord, les autres après», entretiendra un système où la richesse et la pauvreté se côtoient. Que l'on traite des problèmes d'environnement ou de relations humaines, nous devons proposer des solutions créatives qui sont le résultat d'une transformation intérieure. La société ne changera que si nous nous changeons nous-même.

La crise d'aujourd'hui nous en fournit l'occasion. Tandis que s'effondrent les valeurs et les structures du passé, la chance nous est donnée de les remplacer par des systèmes de références mieux adaptés au présent et tournés vers l'avenir. Les sentiments de dépression et de frustration ne mènent à rien. Cherchons plutôt les innovations créatives nous permettant d'affronter et de corriger la réalité que nous avons nous-même créée. Scott Peck dit à ce sujet :

> «Quand mes patients perdent de vue la signification de leur existence et sont découragés par la somme d'efforts que demande notre travail, je leur dis parfois que l'homme est sur le point de franchir un pas décisif dans son évolution. Le franchissement ou le

non-franchissement de ce passage ressort de votre responsabilité personnelle. Et de la mienne bien sûr. »

Malgré les pénibles épreuves auxquelles l'humanité est confrontée, nous pouvons déjà constater certains changements en cours dans des domaines aussi différents que la science, la politique, la psychologie, la spiritualité, l'écologie et la communication. Le récent développement en matière de production d'énergie non polluante, les projets planétaires de lutte contre la famine, l'agriculture organique, l'intérêt accordé à la diététique et aux exercices physiques, le rapprochement Est-Ouest, ne sont que quelques exemples parmi d'autres nous indiquant que l'homme commence effectivement à se mesurer à la réalité de façon créative. En trouvant de nouvelles façons de résoudre nos problèmes, nous gagnons progressivement notre titre de « citoyen de la planète ».

Vers le futur

Buckminster Fuller déclarait un jour : « Le monde est maintenant dangereux pour autre chose que l'Utopie. » Pour créer un futur positif encore faut-il croire en un possible futur. Nous devons nous convaincre que l'homme est capable de changer positivement et nous méfier des attitudes négatives entretenues par les médias, presse ou télévision, qui savent parfaitement que la violence, les catastrophes et les drames se vendent bien mieux que n'importe quelle histoire positive.

Qu'il s'agisse d'économie, d'éducation ou de relations humaines, nous devons croire en notre pouvoir intérieur de changer les choses et prendre part au mouvement de transformation du monde. Nous avons trop tendance à sous-estimer notre capacité d'influence sur les gens et les choses. Chacun de nous, chaque jour, est pourtant en contact avec vingt, trente, cinquante, cent personnes, dans sa vie professionnelle ou dans ses loisirs. Autant de gens que nous sommes en mesure d'influencer, soit négativement, soit positivement. De ce point de vue, tout détail a son importance. Un mot irréfléchi, une pensée négative ou une mauvaise action peuvent causer un mal considérable. En quelques heures, une réflexion désobligeante ou un acte malhonnête peut passer d'une personne à une autre et atteindre ainsi toute une foule d'individus, tout comme une pierre jetée dans un étang agit sur chaque molécule d'eau. Si nous additionnons tous les actes individuels préjudiciables et imaginons leur progression géométrique, nous commençons à comprendre l'énorme impact qu'ils ont sur une communauté ou une nation. La cruauté et la violence existent. Ne le nions pas.

Nous avons également – et heureusement – un potentiel de bonté et de générosité. Notre façon de traiter les autres, de nous exprimer, notre degré de participation aux œuvres humanitaires, toutes ces choses dressent notre portrait moral et indiquent la nature de nos rapports avec le monde. Comme le dit si bien le rabbin Abraham Isaac Cook : « Avec chaque perfectionnement moral, chaque qualité, chaque sujet dont nous faisons l'étude, chaque bonne action – même la plus modeste – l'individu élève sa condition spirituelle ; et quand une part d'existence atteint un plan supérieur, c'est automatiquement toute l'existence qui est élevée. »

En transformant notre conscience, nous aiderons à transformer graduellement la conscience de l'humanité. Si nous nous efforçons de changer notre attitude à l'égard de l'amour, de la sexualité et des relations avec les autres, nous commençons à changer les relations entre hommes et femmes. Notre première tâche consiste donc à faire le point sur notre situation présente, à comprendre par quelle évolution nous l'avons peu à peu créée. Ensuite, nous pourrons entamer une transformation de nos attitudes et de nos sentiments et progresser vers le type de relation amoureuse que nous souhaitons vraiment.

Discrimination

L'un des développements majeurs en matière de relations sexuelles sera, dans le futur, une plus grande discrimination. La discrimination se réfère ici à notre capacité d'aller au-delà des critères de sélection les plus évidents pour chercher d'autres points de repère plus subtils et plus profonds. Dans le passé, les motivations principales d'une relation amoureuse n'étaient pas seulement le plaisir sexuel et l'amour, mais la sécurité matérielle, la procréation, la stabilité, la compagnie. La société et la famille jouaient un rôle crucial dans le choix des partenaires qui disposaient d'un code précis pour guider leur relation – sorties, fiançailles, sexe et mariage. Que l'on ait décidé de suivre ou de ne pas suivre la règle du jeu, on disposait d'un cadre de référence « sécurisant ».

La vie est plus compliquée de nos jours. Nous ne sommes plus soumis à l'autorité parentale comme jadis. Les préceptes religieux et les conventions sociales ont perdu de leur influence ou ne sont plus du tout respectés. Pour combler ce vide, les conseillers conjugaux, les psychologues et les gourous nous bombardent de conseils sur la manière de vivre notre vie. En cette époque de technologie de l'information et de la communication, nous avons accès à une quantité extraordinaire de renseignements ; pourtant, au lieu d'être mieux informés, nous nous trouvons plus désorientés que jamais.

La discrimination opérant uniquement sur un plan mental est presque impossible. Les choix semblent trop complexes. Il y a trop d'informations à comprendre, interpréter et évaluer. Par contre, lorsque nous commençons à en appeler à notre intuition, les critères de sélection sont entièrement différents. La réaction intuitive est basée sur la nature instinctuelle de notre corps et de nos sentiments et atteint l'esprit supérieur. Toute la sagesse de l'esprit universel est alors à notre portée. Nos distinctions sont fondées sur nos réactions intérieures primaires plutôt que sur les seules obervations et évaluations extérieures. Cela ne veut pas dire que nous ne regardons pas autour de nous et coupons court à notre pensée, mais que nous apprenons à écouter cette petite voix intérieure qui nous aidera à faire les bons choix. Cette voix intérieure nous permet de voir au-delà de l'illusion, de dépasser les influences du conditionnement social et des expériences négatives survenues dans le passé. Elle nous aide à percevoir vraiment la réalité, sans leurres, projections ou images idéalisées.

Je me suis efforcée dans ce livre d'offrir à chacun la possibilité de développer sa capacité instinctuelle à discerner et discriminer, de prendre conscience de ses ressources cachées – les corps subtils et les chakras – afin de mieux comprendre comment nous fonctionnons et comment les énergies d'autres personnes peuvent nous affecter. Si nous prenons l'habitude d'utiliser cette connaissance dans notre vie quotidienne, nous aurons une vue plus exacte de nous-même et de nos partenaires potentiels. Qu'importe la somme d'argent qu'ils gagnent, s'ils sont bien ou mal habillés, ou le rôle apparent qu'ils jouent, nous serons concentrés sur leur énergie profonde et c'est elle qui nous fournira les informations dont nous avons besoin pour nous guider.

Connaissance de soi et nouvelles réalités

La discrimination ne sert à rien si nous ne disposons pas d'un cadre de références au moyen duquel juger de ce qui est bon ou mauvais pour nous. Pour cette raison, la connaissance de soi sera une clé essentielle pour les relations sexuelles du futur. La tâche n'est pas aisée, mais si nous désirons transformer la nature de nos relations, nous devons d'abord nous tranformer nous-même.

Comment ? En premier lieu, devenons davantage

conscient de nos peurs refoulées, de nos projections, de notre conditionnement, et de la façon dont ils se manifestent dans notre réalité extérieure. Posons-nous les questions suivantes : « Qu'est-ce que j'attends d'une relation amoureuse ? Quels sont mes plus grands désirs ? », « De quoi ai-je peur ? Et pourquoi ? » « Quels sont mes points forts ? Mes points faibles ? » « M'arrive-t-il d'être malhonnête ? Quand ? » « Suis-je égoïste ou autoritaire ? » « Qu'est-ce que je peux apporter à l'autre ? » « Comment lui faire plaisir ? » Toute question a sa réponse, y compris celles-ci. Le but n'est pas de nous faire violence ou de nous amener à systématiquement tout remettre en question, mais de chercher simplement à vivre avec davantage d'honnêteté envers soi-même et les autres, davantage de vérité, et d'être en contact avec la réalité.

Les chemins sont nombreux qui mènent à la connaissance de soi. L'étude, la réflexion, la méditation et la prière sont parmi les plus traditionnels. Le fait de tenir un journal où l'on consigne les événements de chaque jour peut grandement contribuer à nous faire percevoir nos schémas personnels et s'ils nous sont bénéfiques ou pas. La psychothérapie, le psychodrame, la dynamique de groupe et la spiritualité sont autant de moyens d'entrer en communication avec les peurs, les images et les projections qui influencent négativement nos pensées et nos actes. Lorsque cette prise de conscience a eu lieu, nous pouvons commencer à développer de nouvelles façons de vivre plus adaptées à ce que nous sommes vraiment. Nous apprenons alors à pardonner à ceux qui nous ont fait du mal, et également à nous pardonner à nous-même pour le mal que nous avons pu causer aux autres. Cette attitude d'acceptation et de tolérance fait que, peu à peu, nous nous aimons davantage. Le sentiment de joie qui nous pénètre alors est un facteur important d'équilibre et d'harmonie dans une relation. Plus nous nous aimons, plus nous serons capables d'aimer et d'accepter l'autre.

Le maître indien J. Krishnamurti a souvent fait allusion à ce rapport étroit qui existe entre la transformation personnelle et la transformation planétaire :

> « Le monde, c'est nous-mêmes. Il n'est pas différent de nous. Parce que nous sommes dans la confusion, parce que nous sommes ambitieux, cupides, avides de pouvoir et de prestige, parce que nous sommes agressifs et violents, nous avons créé une société qui nous ressemble. Il semble que notre responsabilité soit de nous comprendre nous-mêmes en premier lieu, parce que nous *sommes* le monde. »

Nous transformerons la société en commençant par changer les rapports que nous entretenons avec nous-même et avec les autres. Si nous puisons enfin dans nos ressources intérieures jusqu'ici négligées, nous aborderons différemment tous les aspects de la vie, que ce soit dans nos relations professionnelles, dans l'éducation de nos enfants ou dans la façon de nous comporter face aux problèmes de pollution. Ne sous-estimons pas la puissance créatrice de l'homme. Il est capable de créer une nouvelle révolution industrielle et technologique visant à protéger la terre et panser les blessures qui lui ont été faites par le passé. Il est capable d'éliminer la violence, la guerre, la pauvreté et la faim. C'est la qualité et la nature de ses relations personnelles qui lui donneront la force et l'inspiration pour créer une nouvelle société.

Au moment présent de notre histoire, nous nous préparons pour ce que certains ont appelé le New Age. Au milieu du tumulte, des conflits et de la confusion, nous commençons à distinguer de nouvelles perspectives de croissance, de transformation et de bonheur. Afin d'accomplir avec succès le passage vers ce futur proche, nous devons travailler avec ce que nous avons. Et les fondations du monde de demain, ce sont nos rapports d'aujourd'hui entre hommes et femmes. Nous devons travailler à nous transformer nous-même ainsi que nos relations les uns avec les autres tout en partageant et échangeant nos espoirs et nos visions pour le futur.

Nombre de ces contes de fées que nous aimons tant se terminent par ces mots : « Ils vécurent heureux et eurent beaucoup d'enfants. » Cela signifie que l'union entre l'homme et la femme s'est accomplie, que les épreuves et les obstacles ont été surmontés. Le couple est maintenant libre d'accéder à une nouvelle intimité, plus puissante, plus profonde et plus vraie. « Ils eurent beaucoup d'enfants », ce qui veut dire qu'ils préparent demain, qu'ils ont déjà semé les graines de la conscience et qu'une nouvelle humanité est en train de naître. Robert A. Johnson écrivait : « L'essence de l'amour, ce n'est pas d'utiliser l'autre pour notre bonheur personnel, mais de servir et de soutenir l'être aimé. Nous découvrons alors, à notre plus grande surprise, que ce dont nous avions besoin plus que tout au monde n'était pas tant d'être aimé que d'aimer. » Notre nouveau monde doit être fondé sur l'amour de soi et l'amour de l'autre.

TABLE

2817

Composition Communication à Champforgeuil
Impression Brodard et Taupin
à La Flèche (Sarthe) le 22 mai 1990
6232C-5 Dépôt légal mai 1990
ISBN 2-277-22817-6
Imprimé en France
Editions J'ai lu
27, rue Cassette, 75006 Paris
diffusion France et étranger : Flammarion